二五分で、この本を読んでみよう！

あなたは、いま時間のある人？　それとも、時間のない人？
この本は、どちらの人にとっても、短時間で読めるように、書かれています。

二五分（レベル1）

二五分で、本書の要点をつかむことができます。まず本全体に目を通し、目次、各章の見出し、小見出しをチェックします。次にもう一度、本全体に目を通しながら、今度は自転車に乗っているアインシュタインのイラストを探し、その下にある段落を読んでいきます。ここでまだ時間のある人は、レベル2に進んでください。

プラス三〇分（レベル2）

さらに三〇分あれば、本書の大筋を話し合えるぐらいまで、内容を把握することができます。再び本全体に目を通してください。今回は、ジョギングしているアインシュタインを探し、その下にある段落を読んでいきます。

プラス四五〜九〇分（レベル3）

あと長くても九〇分あれば、フォトリーディング・ホール・マインド・システムを完全に理解することができます。ここでは頭の上で電球が光っているアインシュタインを探し、その下の段落を読んでください。アインシュタインを探す際、各章の見出し、小見出しを再度チェックしながら、レベル1と2で読んできた内容を思い出すようにしましょう。

同じ種類のアインシュタインが線で結ばれているところは、その間にある段落をすべて読んでください。ときどき、アインシュタインのイラスト横に「●を読む」と書いてあります。その場合は、直後に出てくる（●）で始まる箇条書きの文章も読んでください。

最初からすべての種類のアインシュタイン部分をいっきに読んでしまいたくなるかもしれませんが、そこはぐっとこらえて。各アインシュタインごとに何度も本書に目を通す方が、理解度はずっと高くなります。

はじめから一字一句、きちんと読み進めたい方は、それでも結構です。一度読み切ったあと、上のいずれかのレベルを選んで読み返すことで、より理解を深めることができます。

日本の読者のみなさまへ――ポール・R・シーリィ

「いままでの常識をひっくり返す、読書プログラムへようこそ」

フォトリーディングは、単なる速読法ではありません。

フォトリーディングは、あなたの持っている能力を引き出します。そして、急速に成長させます。この常識はずれの読書法を通して、読み方のテクニックを学ぶわけではありません。あなたの脳が持つ大変な能力をフル活用する、情報処理プロセスを学ぶのです。

時代は日に日に、忙しくなっています。インターネット等の電子メディアの発達により、わずかな時間しかないのに、膨大な情報が洪水のごとく攻め寄せてきます。

こんな時代を生き抜き、成功していくためには、いままでの何倍ものスピードで情報を処理・吸収しなければなりません。そのための、新しい方法（スキル）が必須です。

フォトリーディングは、現存する、最速の情報処理マシーンを利用します。そう、私たちの「脳」のことです。

この本であなたに伝えたいのは、全脳（ホール・マインド）を使う具体的・実践的なテクニックです。繰り返しますが、フォトリーディングは、単に速く読む方法ではありません。いままでの何倍ものスピードで、新しい知識を身に付ける方法でもあるのです。

この本を読んでいくうちに、あなたは今まで不可能だと思っていたことを、やってのけるようになります。

毎秒一ページを超える速度で、文書をフォトリーディングし、その情報を、脳の高性能データ処理機能へと送り込みます。新しい情報はそこで、過去に学んだ知識と結びつき、目標を達成する可能性を高めます。あなたは、限られた時間内で読書を完了。しかも必要な理解力は保ったままです。

フォトリーディング・ホール・マインド・システムを活用することにより、あなたは、いままで体験したことのないレベルでの、脳とのコミュニケーションをとれるようになります。このテクニックは、意識上の限界を超えます。そして、あなた本来の才能を発見する手助けをするのです。

本書は三つのパートで構成されています。

第一部では、フォトリーディング・ホール・マインド・システムの全体像を把握します。

第二部では、フォトリーディング・ホール・マインド・システムの各ステップをひとつひとつ学んでいきます。

第三部では、新しいスキルを、日々の生活の中で活用していく方法を学びます。

世界各国のフォトリーディング講座の卒業生たちは、このスキルによって、この情報化社会を、楽しく喜びに満ちて過ごしています。そして、社会的な成功を、見事に実現しています。

あなたもぜひ、情報化社会の成功者になってください。

謝辞

「フォトリーディング」が開発されてから、一五年以上が経ちました。しかし、フォトリーディングの開発は、終わったわけではありません。いまこの瞬間も、一〇〇〇人を超える関係者が献身的な努力を続けており、フォトリーディングは絶えず進化しています。私は本書を、この関係者たち――フォトリーディングのサポーターたち――に捧げます。

また、フォトリーディングの公認インストラクターたちの熱意と献身に、心より感謝いたします。彼らは、二一世紀の教育革命を推進している、今日のパイオニアです。インストラクターは、より効果の高い指導法・応用法を常に実践しています。その結果、このスキルの進化にとって、極めて大きな影響を与えています。

そして、なんといっても、フォトリーディングを実際に学ぶ人たち……。彼らの洞察力、そして社会的な成功は、フォトリーディングが継続して発展するためのエンジンとなっています。

さらに、ミネソタ大学修辞学部名誉教授J・マイケル・ベネット博士に、心より感謝いたします。博士が考案した「スキタリング」というテクニックは、この読書システムの第四ステップである「アクティベーション」における大変効果的なツールとなり、全世界のフォトリーダーたちに活用されています。

最後に、読者のあなたに感謝致します。

あなたは、いかなる目標をも達成できる力を内に秘めています。

あなたは、人生のより高いステージへの突破口「フォトリーディング」を、現実のものとするでしょう。

成功のご報告を、楽しみに待っています。

ポール・R・シーリィ

目次

第2部　フォトリーディング・ホール・マインド・システムを学ぶ

編集協力・今泉敦子
装幀・川島　進（スタジオ・ギブ）

第1部　選択肢を広げる

第1章　フォトリーディングはこうして生まれた

一分間に六〇ページ。ということは、本書まるまる一冊を五分もかからずに頭の中に写し取るということです。

ずいぶん無茶な話に聞こえるかもしれません。しかし、「頭に写し取る」という概念は、私が「フォトリーディング」という言葉を思いつく何百年も前から存在しているのです。脳に、こうしたイメージ処理能力があることは立証されており、実際に米国の軍事訓練をはじめとして、さまざまな場面で活用されています。

本書の目的は、フォトリーディングが本当に可能なのかどうかを証明することではありません。

目的は、私たちに生まれつき備わっているその能力を、ズバリ活用することです。

この素晴らしい能力を、日常生活の中でどう使うか？　雑誌やレポート、新聞、本、ホームページを読む際にどう使うか？　その使い方を、ステップバイステップで、わかりや

すく伝えることが、本書の目的です。

私は、神経言語学プログラミング（ＮＬＰ）と加速学習の研究を通して、読書スピードを三倍〜一〇倍にアップさせる方法を開発しました。それが「フォトリーディング・ホール・マインド・システム」です。

このシステムを学ぶ人は、いま世界中で二〇万人を超えています。

そして今度は、いよいよあなたの番です。

これから、フォトリーディングがどのように誕生したかについてお話ししたいと思います。

ミネソタ大学・理工学部を卒業して七年ほどたったころ、私は速読のテストを受けました。結果は、一分間に一七〇語*で七〇％の理解率。平均以下のリーディング力。あまりの結果の悪さに、愕然としました。

一六年以上にもわたる高等教育を受けたにもかかわらず、読むのが遅い。さらに悪いことに、読むこと自体を避けるようになっていたのです。

そのころの私は、読書についてある固定概念を持っていました。

正しい読み方とは、書いてあることを最初から最後まで一字一句読むこと。すべての語

＊英語170語は、日本語では約400〜500字に相当。原稿用紙１枚強の文章となる。

句をもらさず読み、正確に意味を理解し、それを記憶しなければならない。さらに読書力を決めるのは、詳細を記憶する能力と内容の分析力であると信じていたのです。

私は、このような固定概念を疑うことなく、自分の読むスピードが遅いことに悩んでいました。読むのが遅いからといって、スピードを上げれば、今度は理解力が落ちてしまうのです。私は七年間、人材開発のコンサルタントとしてキャリアを積んできましたが、その間も、リーディング能力をまったく伸ばすことができなかったのです。

一九八四年。私は速読法のコースを受講しました。五週間のトレーニングを受けた結果、私の文書を読むスピードは、毎分平均五〇〇〇語、七割の理解率を得られるまで伸びました。なんと、いままでの約三〇倍のスピードです。

ある日の授業中、隣に座っていた若い女性が、「コースを受講して一〇週間になるのに、どうしても一分間で一三〇〇語の壁を越えられない」とぼやいていました。私は彼女にアドバイスしました。

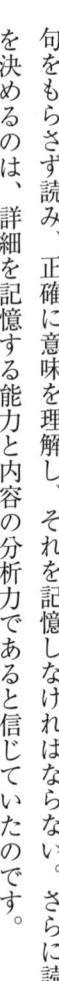

「速いスピードで読んでいる自分の姿を想像してみると、いいですよ」

すると彼女は、次に読んだ本で、なんと一分間に六〇〇〇語、理解率もいままでの最高スコアを記録できたのです。

そんな素晴らしい出来事はあったのですが、私は速読法にいまひとつ魅力を感じられま

せんでした。目玉を無理やり速く動かしながら読むことが、すぐに苦痛になりました。結局、速読法コースを終えて三カ月も経つと、学んだテクニックをほとんど使わなくなってしまったのです。残念ながら速読は続けられませんでしたが、脳が持つ情報処理能力の可能性については、強い興味を抱き続けました。

やがて私は自分の問題に気づきはじめました。私は、二つの矛盾する考え方に挟まれ、身動きできなくなっていたのです。ひとつは、小学校で植えつけられた正しい読書についての固定観念。もうひとつは、「人間の脳はもっと凄いことができるはずだ」という考えです。

以前、飛行機操縦の個人訓練を受けたときにも、これと同じような混乱を体験したことがあります。

あるとき教官が、八〇〇〇フィートの上空で、「着陸時と同じ低速度で飛ぶように」と私に指示しました。そこで私はエンジン速度を落とし、高度を保つため操縦桿を引きました。

すると間もなくして、機首がほとんど真上を向いてしまったのです。もう機体は浮いていることができません。そしてとうとう、地面に向かって真っ逆さまに落下しはじめたのです。

まさに恐怖のどん底です。

私は、必死になって操縦桿を引き、なんとかして機首を持ち上げようとしました。ところが、状況はますます悪くなるばかり。

「どうしてうまくいかないんだ!」「どうして飛んでくれないんだ!」

しかし教官は、私がパニックに陥っているのを眺めて、楽しんでいるかのようでした。

飛行機は地面に向かってどんどん加速しながら落ちていきます。そのとき、教官が静かに言いました。

「速度を上げてください」

そんな、バカな!?

教官には状況が見えていないんだ、と思いました。私が操縦桿を引いて必死に機体を持ち直そうとしているのに、彼は地面に向かってさらに突っ込めと言っている。明らかに「彼は正気じゃない」と思いました。

機体はとうとう、きりもみ降下に突入。地面が回転しながらぐんぐん近づいてくる……。

教官がもう一度はっきり「速度を上げて!」と言いました。しかし、私はもはや聞く耳を持ちません。

ついに教官は、ガチガチになった私の手を押し退け、操縦桿を前に押し出しました。するど、たちまち翼と後部の昇降舵が調整され、浮力が回復したのです。

機体が安定したのを見て、教官はゆっくりと操縦桿を引き、高度を上げていきました。私の心臓はいまにも口から飛び出しそうになっていました。

この話が、文書を読むこと（リーディング）とどんな関係を持つのでしょうか。

私はいままで常に、書かれていることが理解できる範囲のスピードで文章を読んできました。読むスピードが速すぎて理解が追いつかなくなるたびに、私は不安にかられてブレーキをかけていました。内容すべてを理解できなければ、読み手として失格だと思っていたのです。より速く正確に読もうとしても、状況は悪化するだけ。私はきりもみ降下に陥り、リーディングはちょうど、地面に向かって突っ込んでいく飛行機と同じだったのです。

「どこからか優秀な教官が現れて、垂直降下から自分を救い出してくれないだろうか？」

私は、そんなことを願っていました。

残念ながら、当時の私は、脳には秘められた偉大な能力があること、そして、その能力が自分のリーディングの問題を解決してくれることに、気づいていませんでした。

しかし奇跡は起こりました。その後の数年間、私は、まるで目を開かされるような、いくつもの体験をしたのです。

一九八四年の秋、私は生涯学習と人材開発を研究するため、大学院に入学しました。私は、「どうすれば短時間で、効率的に学習することができるのか」という課題に取り組みました。当時、私の会社「ラーニング・ストラテジーズ社」は設立四年目。大学院での研究は、会社のクライアントにとっても、大変メリットが大きかったのです。また私自身、学習能力を向上させたいという強い意欲を持っていました。

大学院でさまざまなセミナーやコースに参加していくうち、私はアリゾナ州フェニックスの速読スクールから来た、ある講師の話を聞きました。

彼は自分のクラスのひとつで、奇妙な実験を行なったというのです。

本を上下逆さまに持ち、目を動かさないで、後ろからすばやくページをめくる。その後、本の内容についての読解テストを行なうという実験でした。

ほんの遊び感覚で行なわれたそのテストで、クラスはなんと過去最高のスコアを出したというのです。

これは、単なるまぐれだったのでしょうか。

速読スクールの講師たちは、「本をめくることが、サブリミナル効果を生み、意識下で情報が処理されたのではないか」という仮説を立てました。

その仮説を聞いたのとほぼ同じころ、私は加速学習の専門家、ピーター・クライン先生のセミナーに参加しました。「リーディング力を飛躍的に伸ばす方法を開発したいんだ」と私が話すと、クライン先生は、アドバイスをくれました。彼のクライアントの一社、IDS・アメリカンエキスプレス社が、速読法を応用した加速学習法を求めているので、私にその研究開発をやってみないか、というのです。コンサルティングの仕事、大学院での研究課題、そして学習への情熱。この三つの私の課題が、なんと一挙に解決されるチャンスが、突然、降ってきたのです。

一九八五年の秋、私はサブリミナル効果と脳の情報処理についての基礎調査に取りかかりました。その結果、「人間の脳には、無意識のうちに視覚情報を処理する能力があること」を示唆する多くの研究があることがわかりました。

私は、人間の目の知覚能力、脳の文字情報の処理能力に関して、さまざまな実験を行ないました。そして、印刷されたページをそのまま「頭の中に写し取る」という方法を「フォトリーディング」と名づけたのです。

私は、このフォトリーディングを誰にでもできるようにするために、研修プログラムの開発に没頭しました。その際、加速学習、速読法、神経言語プログラミング（NLP）、人材開発分野における最先端の知識を応用しました。そして、数多くの試行錯誤の末、フォトリーディング講座を開発したのです。

実験の過程で、私は以前参加した速読スクールを再び訪れました。そして、何冊かの本で速読のテストをしてもらいました。私はそのうちの一冊を、毎分六万八〇〇〇語のスピードでフォトリーディングしていました。いままでの最速スピードの一〇倍以上です。しかも、筆記試験で七四％の理解率！

できすぎ?

そうかもしれません。通常の読書や速読法に比べたら、たしかにできすぎでしょう。しかしフォトリーディングは、そのどちらとも、まったく異なるものなのです。スクール側も、いままでの常識とは異なった「パワフルな何か」が働いている結果であることを認めざるを得ませんでした。

一九八六年の一月と二月、私は六回の実験的セミナーを開催しました。一回はＩＤＳ・アメリカンエキスプレス社。あとの五回は、私の会社のクライアントが対象でした。

フォトリーディングの効果はすぐに表われました。

ストレスの低下、記憶力の飛躍的な向上、リーディングテクニックの上達。さらには、学生は試験でトップスコアを達成、営業マンは契約率がアップ、弁護士は勝訴率がアップする等、セミナー受講中から、参加者たちは、さまざまな成果を報告してきました。

驚きと喜びを隠せない参加者たち。その姿に感激して、私はカリキュラム内容や教材をさらに改善していきました。

一九八六年五月一六日。ミネソタ州・教育庁は、フォトリーディング・セミナーのカリキュラムと活動内容を審査した結果、ラーニング・ストラテジーズ社を、私立の実務学校として正式認可しました。

アメリカ合衆国大統領は、一九九〇年代を「脳の一〇年」と宣言し、認知科学の研究を積極的に進めるように呼びかけました。その結果、脳の情報処理メカニズムの解明が飛躍的に進み、その学習分野における応用法についても、いまだかつてないほどの支援を受けることになりました。この過程で、フォトリーディングは、教育界に革新的な方法をもたらしたとして、世界的に認知されるようになったのです。

フォトリーディングは、読書能力を高めるための新しいテクニックです。しかし、ほとんどのフォトリーダーたちが認めているように、フォトリーディングによって得られるものは、速読の技術だけではありません。

フォトリーディング・ホール・マインド・システムは、あえて、あなたを「きりもみ降下」の中へ突入させます。その超スピードを経験することで、あなた自身に、素晴らしい能力があることに気づいてもらいたいからです。すると、あなたは情報の渦にのまれてコントロールを失うかわりに、その中をスムーズに飛ぶことができるようになるのです。

本書はそのための方法を、ステップバイステップで、わかりやすく説明します。

こんなことが、フォトリーディングでできるようになる！

フォトリーディング・ホール・マインド・システムには、五つのステップがあります。「準備」「プレビュー」「フォトリーディング」「アクティベーション」そして「高速リーディング」です。

ひとつずつ順番にステップを踏んでいくシステムのように見えるかもしれませんが、実は、あなたのニーズに合わせてどこから始めてもいいのです。読書のための道具箱といってもいいでしょう。このシステムは、読書のエキスパートたちが、実際に使っているテクニックをベースにして作られています。

このシステムの真髄は、単なるテクニックではありません。テクニックを学ぶことにより引き起こされるパラダイム・シフト（ものの見方の転換）です。このシステムを使って目標を達成するためには、これまで慣れ親しんできた、非効率な、古い読書法を断ち切らなくてはなりません。

まず、あなたに、自分が現在発揮できる能力の限界を知ってもらいます。その後、意識上の情報処理能力の限界を飛び越えて、脳が持っているより高性能な情報処理システムと直接つながる方法を身につけていきます。それは、いくつかのシンプルな行動を実践することから始まります。

「脳の本来の力を引き出せれば、どんな素晴らしいことができるだろう?」

いまの段階では、あなたはただ想像するだけでしょう。

でも、私を信頼してください。

私は、これまで世界中の大勢の人たちにフォトリーディングを教えてきました。その結果、生徒たちは、仕事上でも、日常生活でも、短期間に大きく成長してきました。数多くの実例の中から、ほんの一部をご紹介すれば、次のとおりです。

●ある高校生は、辞書を何度もフォトリーディングした。その結果、SAT*の語彙のテスト・スコアが飛躍的に伸びた。

●ある弁護士は、分厚い法律書の中から必要事項を探し出す際に、フォトリーディングを活用。その結果、毎回法律図書館で過ごす時間が、以前の三〇分からたったの五分に短縮できた。

●ある技術ライターは、エンジニアたちとの初会議の前に、ソフトウエア・マニュアルを

＊米国における標準学力テスト。高校生が大学願書を提出する際に受験することが多い。

フォトリーディング。彼は準備にたった一五分しかかけなかったにもかかわらず、会議では、そのソフトウエアについてよどみなく話すことができた。
●あるコンピュータのメンテナンス技師は、必要な情報をいつでも数秒以内にマニュアルの中から見つけ出すことができるようになった。
●ある弁護士は、三〇〇ページに及ぶ運輸省の法律マニュアルを三分で読了。勝訴するために必要な情報が書かれたたったひとつの段落を、あっという間に見つけ出した。その段落を見つけられなかった州側の証人である専門家は、彼のリーディング能力を見て、目を丸くした。
●デュポン社の廃水担当者は、会議に備えて、安全衛生管理局の厚さ五センチもの連邦規約を読まなくてはならなかった。会議へ向かう三五分のフライトの間、彼はその規約をフォトリーディング。会議中、彼は「安全衛生管理局は、三年以上前の排水処理データは受け付けないよ」と発言した。それは、彼が飛行機の中でフォトリーディングした規約書の中に埋もれていた、極めて技術的なポイントだった。
●あるビジネスコンサルタントは、新しいクライアントに対するプレゼンテーションの前に、市立図書館へ行って、何冊もの業界誌をフォトリーディング。業界の動向、問題点、最新ニュース等についての彼女の知識は、ライバルのコンサルタント会社を圧倒。彼女はクライアントとの契約をものにした。
●ある大学生は、フォトリーディングを活用して、優秀な成績で学位を取得、ハイテク企業へ就職した。同期の中で一番の出世頭となった彼は、「自分の成功はフォトリーディングのおかげだ」と断言している。
●プエルトリコのある高校生グループは、フォトリーディングを使って、「国際頭脳オリンピック」で複数のメダルを獲得。
●ある短編小説作家は、最優秀賞の受賞スピーチで、「自分の独創的なライティングスタイルの秘密はフォトリーディングにある」と話した。

繰り返しますが、これらの実例は、ほんの一部です。

フォトリーディングを学んだ人は、レポート作成、重要な試験のための準備、成績向上、学位取得、さらには会議における発言、社内での昇進等に、このスキルが大変役立っていると言います。また、楽しみのために、より多く読書ができるようになったとも言っています。

フォトリーディングに必要なのは、新しいアイデアを試す意欲と、リラックスして楽しむ気持ちです。それだけで、あなたの真の才能を開花させることができます。子どもの好

奇心を持って、素直に驚く。そして体験・発見していくことで、まったく新しいリーディングの世界が開けるのです。

読書は、仕事上でも私生活においても、パワーの源となるでしょう。あなたはこれまで経験したことのない効率で、さまざまな文字情報を取り込んでいけるようになるのです。

次章で、いよいよ出発の準備を完了します。

フォトリーディング　驚くべき成功事例

ある高校生は、数学の成績を一学期間でいっきにDからBへ上げた。「数学の教科書をフォトリーディグしたことが､テストに役立ったんだ」と、彼は言う。別の生徒は、レポートを書く前にさまざまな本をフォトリーディングした。返却された彼女のレポートには「評価A＋　あなたの作文力は一晩で上がったようですが、いったい何をしたんですか？！」と書かれてあったそうである。

数人のミュージシャンから「楽譜をフォトリーディングした」という報告が届いている。初めての曲を演奏する前の日に譜面をフォトリーディングすると、すでに一度練習をしているかのように、最初のランスルーがとてもうまくいくという。

メキシコ人の心理学者が、カリフォルニアの学会で論文を発表してほしいと依頼された。20ページにわたるその論文はすべてスペイン語で書かれていたため、彼女はそれを英語に訳しながら読み上げなくてはならなかった。彼女はバイリンガルではあったが、英語に訳しながら読む、というのはあまり得意ではなかった。発表の前日、彼女は一日かけて西英辞書を数回フォトリーディングした。その結果、当日彼女は、一度も混乱することなく、みごとにスピーチをすることができた。「発表の間は始終リラックスして、とても落ち着いていたわ」と彼女は話している。

植物ガイドをフォトリーディングしたある庭師は、その後、草花の判別がとても簡単になったという。

ある高校の国語教師は、米文学の授業でヘミングウェイを教える際、フォトリーディング・ホール・マインド・システムを使って準備をした。彼女はヘミングウェイについてのあらゆる解説書に加え、彼の作品のすべてをフォトリーディングした。そのうち授業で扱う予定だった二冊については、高速リーディングも行なった。彼女は、講義の最中、フォトリーディングしたことが次々と自発的にアクティベーションされることに驚いたという。彼女の知識は具体例を豊富に含み、その授業はこれまでのどんな授業にも勝る、非常に深みのあるものとなった。

第2章　古い読書法に固執するか？　それとも……

あなたが日ごろよく目にする文書の種類を、具体的に思い浮かべてみてください。その中には、たとえば次のような文書があるのではないでしょうか。

●ホームページ、電子文書
●雑誌、ビジネス誌
●新聞
●手紙、Ｅメール
●メモ
●マニュアル、参考書
●教材
●報告書

●企画書、営業用パンフレット
●明細書
●ノンフィクション
●長編小説、短編小説、詩

以下の質問に心の中で答えてください。

●読んだことをどれぐらい理解していますか?
●読んだことをどれぐらい覚えていますか?
●読み手としてのあなたの長所は何ですか?
●自分の読み方に関して、どの点を、いちばん変えたいと思っていますか?

ここで、現在のあなたの読書力を前提として、将来、どんなことが起こるのか。二つのシナリオを作って、考えてみましょう。

ひとつ目は、私たちが「初級読み手《リーダー》の受難」と呼ぶシナリオです。

オフィスに入ると、手つかずのメモや報告書、マニュアルやビジネス誌の山。この書類の山を見ていると、まるで非難されているような気分になってくる。そこであなたは、書類を見えないところに片づけてしまう。しかし、何か重要なアイデアや事実を葬ってしまったかもしれないことが気になってしかたがない。そこには、昇進に結びついたり、恥ずかしい間違いを避けるための貴重な情報が埋もれているかもしれないのだ。いつものように会議や電話の対応に追われながら、あなたは自分にこう言い聞かせる。

「あの山を全部読むぞ、明日こそ……」

状況は家に帰っても似たようなもの。まだ読んでいない雑誌や新聞、手紙の山がリビングに散乱。それらに目を通し終わるのはいつのことやら……。楽しみのための読書なんて論外だ。いつか読もうと思って買ってある、何冊もの小説や伝記、自己啓発の本。その「いつか」は、日々現われる優先事項を前に、先へ先へと延期されるばかり。

専門教育やトレーニングを受けて、さらなるキャリアアップを狙いたいという気持ちはある。昇進や収入が増えることを考えれば、ワクワクする。しかし問題は、そのために必要な膨大な量のリーディングを、一体どうやってこなすのか？　それを考えると、意欲もたちまち萎えてしまう。

たとえ奇跡的に、あの手つかずの書類の山をすべて読破したとしても、今度はそれを記憶し、人に説明し、実際に活用するという難題が待ち受けている。結局、読むのを一日延ばしにし、毎日、混乱と混沌の中で、やけっぱちになりながら生きていくしかないのか……。

このシナリオに、何か思い当たることはありませんか？

あなたはこの情報化社会を、相変わらず、小学校で習った読み方のまま切り抜けようとしていませんか？

さあ、次は二つ目のシナリオ「フォトリーダーの喜び」です。

あなたは毎日、余裕のある気分で仕事を始められる。効果的な決断をタイミングよく下すために必要な情報を、すべて把握しているからだ。何かを読むときは、いつも無理のないリラックスした状態で読める。あなたの提案は、明確な根拠に裏づけられている。その結果、ほとんどの場合、同僚やお客に支持される。

専門的な報告書を読むのは、これまでは時間がかかる作業だった。でも、いまではひとつの書類につき、ほんの数分しかかからない。一日の終わりには、デスクの上は整然と片づいており、あなたは、明日への準備万端、といった気分で家路に着く。

この状態は、私生活においても同様。未読の本や雑誌、新聞、手紙などで散らかり放題だったリビングは、もう過去のこと。毎日、一〇分から一五分で、その日のニュースを頭にインプットできる。一回腰を下ろすだけで、「読むべきもの」の山はまたたく間に消えていく。そして余った時間で、あなたは「やるべきこと」を順に片づけていくのだ。

この読書スピードのおかげで、新しいことにチャレンジできるようになった。セミナー受講、学位取得、昇進。自分の好奇心を探究できる時間が持てるようになった。新しいスキル、知識を身につけた。無理がないから、学ぶことがますます楽しくなる。いまでは、小説や雑誌、娯楽のための読書等、仕事に関係のない本を楽しむ時間も持てる。もちろん、自由に好きなことをする、遊びの時間も増えた。

このシナリオを、もう少しの間、心の中でかみしめてください。そして、その気分を味わってみてください。

リーディング力の向上がもたらす、ゆとりのある時間。お金。そして喜び。
素敵だと思いませんか？

未来は、自分で選択できる

この本からぜひ読み取ってほしいメッセージは、「どちらのシナリオを選ぶかはあなた次第だ」ということです。どちらの世界を目指すのも、あなたの自由です。あなたはすでに、どちらのシナリオでも実現する力も持っています。そのどちらかを選ぶことによって、あなたの未来が決まるのです。

リーディングで未来が変わるなんて大げさでバカらしいと思う人は、この統計について考えてみてください。「買った本を第一章より先まで読む人は、全体の一割にも満たない」のです（おめでとう！　あなたはすでに二章目に突入していますね）。

フォトリーディング講座に参加する多くの生徒たちは、「たいていは買った本の表紙をめくることさえない」と言っています。本も雑誌も、パンフレットもダイレクトメールも、メモも報告書も、読まれることのないまま積み重なっていく、あるいは捨てられていくだけ。これでは、ほとんどの文書が、やがて消えてしまうインクで書かれていたとしても、

特に問題はないでしょう。
ここから先には、新しいリーディングの世界を体験するためのツールが用意されています。そのツールを使えば、あなたは自分自身の中に理想的な読書のシナリオを実現できることがおわかりになるでしょう。逆に、ここで読むのをやめてしまえば、あなたの「読む力」は、現状のまま、とどまり続けるのです。

古い習慣から抜け出そう！

あなたが結果を出したいのなら、きっと本書が提案するツールを試してくれるでしょう。でも、結果を得るには、新しいツールを試すだけでは十分ではありません。「読むこと」について、新たな見方を持っていただく必要があるのです。
「『読む』とは、こういうものだ」と判断した時点で、新しい結果を得るための道をふさいでしまいます。小学校で教え込まれた読書によって、私たちは知らず知らずのうちに、脳ができることに限界を設けています。これが思考の枠組み、すなわち「パラダイム」といわれるものです。パラダイムは、私たちの行動や、その結果に対して、非常に大きな影響力を持ちます。

小学校で教え込まれた読書は、明確な目的意識を持たないまま行なわれる、きわめて受動的な作業です。あなたは、一〇分かけて新聞記事を読んだあと、「実はまったく無駄な時間を過ごしていた」と気づいたことはありませんか？　受動的な読書では、しばしばそういうことが起こります。

「一字一句、ていねいに読む」。これは、小学校での読書の基本原則です。

漫画から教科書まで、あらゆるタイプの読み物を同じ速度でこつこつと読んでいきます。情報確保のためにビジネス誌を読むのと、楽しみのために小説を読むのでは、読書のスピードが違ってしかるべきだと思うのですが……。

小学校で教え込まれる読書には、最初から正確に読まなければならないという強迫観念が付きまといます。一回目の読書ですべてを理解しなくてはならない、もし理解できなければ、読み手としての能力がない、と思ってしまうのです。ミュージシャンは、初めて見た楽譜を最初から完璧に演奏しようなどとは思わないでしょう。なぜ、読むときに限って、完璧を求めなくてはならないのでしょうか？

ひとつの文書を読むとき、最初の一回でやらなければならないことをすべて挙げてみてください。文章構成の把握、キーワードのチェック、要旨の理解。そしてさらに、記憶し、分析・評価し、正確に引用できなくてはならないのです。

こんな多大な要求をされては、私たちの意識は圧倒され、拒絶反応を起こしてしまいます。段落の終わりまで来たところで、たったいま読んだことが、さっぱりわからなくなる。こんないらだちを感じたことはありませんか？

　情報のあまりの量に圧倒されてしまうのは、情報過多の現代では特にめずらしいことではありません。目だけが文字を追っていて、心ははるか遠くの彼方をさすらっている。こういった経験はないでしょうか？　言ってみれば、明りはついているけれど、家の中には誰もいない、といった状態です。

　これはドキュメント・ショックを引き起こします。脳の中の連絡回路がショートしてしまうのです。許容以上の電流がいっきに流れ込んだため、電線が煙を上げてしまうのと同じです。この「意識における故障」が起こると、何を読んでも頭に入りにくくなります。また、多くの情報を無理に詰め込んでも、なかなか思い出せなくなってしまいます。

　この情報過多の時代、自分がまるで、スープの缶を手にしながら、缶切りがなくて食べることができない、飢えた人間のように思えることがあるものです。小学校で教えられた読書スキルを続ける限り、私たちは腹ぺこのままです。単行本や定期刊行物、マニュアルやメールをへとへとになりながら読んでいるのに、結局何も身についていない。書類の山に埋もれた有益な情報を、私たちは何ひとつ役に立てることができないのです。

小学校で教え込まれた読書法は私たちが必要とするものを提供してくれるでしょうか？もしあなたの答が「ノー」であるのなら、あなたはそこに問題があることに気がつきます。そしてそれは素晴らしいことです。問題の認識こそ、変わるための大きなパワーとなるのですから。

新しい学習法を、先取りする

大量の読書や文書の処理を、短時間でこなせる人――リーディングのエキスパートたちは、小学校で学んだ読書法とは異なるアプローチを採用しています。彼らのリーディング・スタイルはとても柔軟です。読むものの種類に合わせてスピードを調整しています。また、その文書から何を得たいのかを常に自覚し、自分にとって本当に有益な情報を必ず見つけ出します。

能動的で、目的意識を持ち、探究心にあふれ、集中している――それが最高のリーディングです。フォトリーディング・ホール・マインド・システムを学ぶことによって、あなたも読書のエキスパートになれます。また、読書スピードが速くなるだけではなく、記憶力、さらに読書の楽しさも増大することが実感できるでしょう。

フォトリーディングは、あなたのリーディング・スタイルを、小学校で教え込まれた古い読書から、脳全体（ホール・マインド）*を使った読書へと移行させます。あなたは、これまでのリーディングスタイルがいかに効率の悪いものであったかを実感することになるでしょう。

とはいっても、フォトリーディングなど信用できないという人は実際たくさんいます。ここで、大学の教授でさえ新しいパラダイムを受け入れることに抵抗を示す、という事例をご紹介しましょう。

ミネソタ州のある大学は、「フォトリーディングなど不可能だ」という理由で、私たちがフォトリーディングのセミナーを開くことを拒否しました。

そこで、私たちのスタッフのひとりがフォトリーディングのデモンストレーションを行なうことにしました。アメリカ特許法の法律書をモニターに映し出し、スタッフが毎秒約三〇ページ（一分間に六九万語以上）のスピードで画面に現われるページをフォトリーディングしていくのです。読後の理解率は七五％でした。加えて彼は、六つの特許品のイラストを描いて、それらが掲載されている順番までも正確に言い当てたのです。

こうして新しいパラダイムが彼らの目の前で実証されました。

さて、彼らはセミナーの開催を許可してくれたでしょうか？

＊フォトリーディング・ホール・マインド・システムでは、脳の創造的・直観的能力と分析的・論理的能力の両方を使って、目標の達成を目指す。

いいえ。百聞は一見にしかず、とはいきませんでした。

パラダイムの転換には、見る以前にまず信じることが必要なのです。フォトリーディングをパラダイムの転換ととらえることで、あなたは「不可能」を可能にできるのです。

一分間に六〇ページを「読む」ことはできない！

フォトリーディングを学びはじめる前に、多くの人々が、「そんなのムリだ！」「そんなに速く読めるわけがない」という反応を示します。

そのとおりです。意識上でそんなに速く読める人などいません。

フォトリーディングは私たちが知っている「読書」とは異なるものなのです。この情報処理法は、批判的、論理的、分析的な脳の働きを一時的に迂回することによってのみ、可能になります。フォトリーディングは、顕在意識上で行なうものではありません。つまり、従来の読書では使われない脳（右脳）から、その潜在力を引き出してくるのです。これはまさに、脳の新しい活用法なのです。

脳には二つの半球があります。左脳は分析能力、情報の配列、論理的思考を司《つかさど》ります。一方、右脳は、ものごとをまとめる能力、理解する能力、イメージの創造や直観的な反応を司ります。私たちは日々、膨大な量の文書を読みこなさなくてはなりませんよね。ならば、リーディングに脳の両方の側を使わない手はありません。

一秒間に一ページの速さで、本を脳に写し取っていくというのは、新しい情報処理の形です。上から下へ、一字一句、一行一行読んでいくという小学校のリーディングスタイルでは、このようなスピードでの読書は不可能です。フォトリーディングの際、私たちが使うのは、本来、右脳に備わる能力なのです。

本をフォトリーディングした後、次のステップとして、脳を刺激・活性化する作業を行ないます。この「アクティベーション」（活性化）のステップは、フォトリーディングした文書から、あなたの目的を達成するために必要な情報を引き出すためのものです。

「無意識レベルでも文字情報を処理することは可能だ」という事実を受け入れることで、あなたの中にリーディング・パラダイムの転換が起こります。このパラダイムの転換によって、あなたの読書は驚くほどパワフルで、効果的で、簡単なものになるのです。

成功に向けて、意外なプロセスを体験する

フォトリーディングを学ぶ際には、はじめは奇抜に思える部分があるかもしれません。

速読法の技術を学ぶのかな、と思っていたら、「ミカン集中法」だとか「空中に浮かんだソーセージ」などといった、風変わりなプロセスが登場するのですから。しかし私は、あえてあなたに、かつて経験したことも、必要だと感じたこともない体験をしていただきたいのです。

「なんでそんなヘンなことをしなけりゃいけないんだ」って？

　これはいってみれば、スキーの滑降を学ぶことで、物理学の原理を発見するようなものです。

　パラダイムの転換を計る、つまり思考パターンを根本から変えるためには、常識では捉えきれない、意外な方法を取る必要があるのです。そうしなければ、私たちはいつまでも、従来のものの見方のまま、読書に取り組もうとしてしまいます。

　たとえば、読まなければならないものがたくさんあるとき、私たちはたいてい読むスピードを上げようとします。しかしそれでは、理解力が低下します。そこで私たちは、再びスピードを落とし、それまで以上に意識を集中させようとします。そしてその結果は、スピードも理解度も変わらず、不安と苛立ちばかりが増大するにすぎません。いらだつことで、文書を読む効率はさらに低下します。そして目の前には、相変わらず読まなければならない本が山積みのままなのです。

言い訳は通用しない

「一秒間に一ページの速さで本に目を走らせるなんて信じられない」と思われるでしょう。でも、いままでの常識というレンズを通して見れば、新しいものはどんなものでも突飛に映る、ということを思い出してください。

パラダイムの転換が起こるときには、すべてが再びゼロから始まります。古いルールはもはや通用しません。とはいっても、根本的な変化を、痛みを伴わせず、しかも瞬時に起こすことは可能です。そしてその効果は絶大なのです。

フォトリーディング講座を卒業した機械エンジニアの男性は、こう言いました。

「我々の脳には限界がないと思うと、ちょっと怖いです。言い訳が通用しなくなりますからね」

パラダイムの転換に不安を感じる人は、もうひとりの卒業生のこの言葉に耳を傾けてみてください。

「フォトリーディングという未知の世界に足を踏み入れることを怖がらないでくださいね。そこはしっかりとした地面があるか、ちゃんと飛べるようになっていますから」

私たちは、新しい姿勢で、新しい行動に挑戦しなければなりません。なぜなら、新しい行動をしなければ、新しい結果を出すことは不可能だからです。講座を受講したある男性は、成功に対する恐怖心を克服し、こんなふうに言いました。

「やっとわかりました。フォトリーディングは私の人生を変えることができるんです。それなのに、私はずっと、自分の考え方や行動は何ひとつ変えずに、人生だけ変えることができるような気でいたんです！」

新しいものを手に入れるためには、捨てなければならないものもある

●を読む

フォトリーディングを習得するためには、以下のものを捨てなければなりません。

- ●学習者としての低い自己評価
- ●ものごとを先送りにする癖や、自己不信などの自滅的な習慣
- ●失敗から学ぶことよりも、失敗自体にこだわる完璧主義的な考え方
- ●無意識や直観に対する不信感
- ●すべてを一度に知ろうとする姿勢
- ●結果を気にする姿勢

●焦り

　そして何よりも「マイナス思考を捨てる」ということが肝心です。マイナス思考は、成功への最大の障害になります。

　フォトリーディング講座のある受講生は、自分の読み手としての能力にまったく自信が持てず、それが彼自身の限界をつくっていました。彼の口癖は、「こんなことは、ぜったい無理」でした。一方、同じ講座を受講していたある女性は、自分の読書力の低さを嘆きつつも、限界を突破することに対して、積極的な態度で臨んでいました。「これをマスターするために必要なことなら、何でもするわ」

　ふたりは共にフォトリーディングを学びました。マイナス思考を捨てられない最初の男性は、自分に備わっている能力を発見するまで、大変な苦労を強いられました。

　フォトリーディングはあなたの人生を大きく変える力を持ちます。でも、安心していただきたいのは、それによって読書の楽しみが損なわれることはまったくないということです。従来の読書スタイルを並行して維持することはもちろん可能です。小説を読むことが大好きだというある女性は、フォトリーディング講座の受講を終えて、こう言いました。

「読書の楽しみを、あらためて発見したわ！」

彼女の趣味の読書は、ますます豊かで実りある体験となったのです。

これが一〇倍速く本を読むシステムだ！

今日の情報化社会では、私たちに読み手として課せられる要求は膨大なものです。フォトリーディング・ホール・マインド・システムは、その要求に応えるための素晴らしい武器となります。このシステムは、いかなるテーマ、目的、文書スタイル、スピード、理解度にも柔軟に対応できます。

フォトリーディング・ホール・マインド・システムの五つのステップは、脳に備わる能力全体を活用するものです。ここで、そのステップをざっと見ていきましょう。続く五つの章で、それぞれのステップを効果的に実践する方法を、身につけましょう。

ステップ1――準備

効果的なリーディングは、明確な「目的」を持つことから始まります。「これは、読むことで自分が何を得たいのか」を具体的にする、ということを意味します。たとえば、要

点だけを簡単に把握したいのか？　問題に対する解決策を探したいのか？　または、仕事を完成させるために参考となるアイデアがほしいのか？

このように、読書の目的をはっきりさせるのです。目的は、求める結果を生み出すように無意識部分を導く、レーダーのような働きをします。

目的を明確にしたうえで次に、リラックスした集中状態を可能にする「集中学習モード」に入ります。この状態では、退屈も不安も存在しません。努力はしても、その結果のことは心配しません。

あなたは、小さな子どもが遊んでいるところを観察したことがありますか？　遊んでいるときの子どもたちは、リラックスしながら同時にはっきりとした目的を持っているという、まさに私たちがここで求めている状態のお手本を示してくれています。

ステップ２――プレビュー

プレビューは重要な原則に基づいています。その原則とは、「効果的な学習は、多くの場合『全体から部分へ』という方向で成される」というものです。つまり、まず全体像をつかんだうえで、詳細へと進んでいく、ということです。

まず、文書全体を「調査」します。目的は詳細を理解することではなく、あくまで全体的な構成を把握することです。続いて、「キーワード」のリストアップを行ないます。キーワードとは、文書の主要概念を表わしている言葉です。キーワードは、あとでより詳しく読むべき箇所に、読み手の注意を引く働きをします。

やり方さえ把握すれば、プレビューはとても短くて簡単な作業です。本一冊につき約五分、報告書一部につき約三分、記事一本につきわずか三〇秒といったところです。

その間に私たちは、目的を再度明確にし、キーワードを確認し、その文書が読み続けるに値するものか否かを決めるのです。それが自分の目的や興味に見合わないと判断して読むのを中止しても、まったく構いません。

プレビューとは、本のレントゲンを撮るような作業です。本の全体的な構成を大まかに把握するのが目的です。全体の構成を理解することにより、これから学習する事項について何を予想すればいいか、がわかります。全体の構成がわかれば、内容についてより正確な予想を立てることができるので、理解度も、また読む楽しみも増大するのです。

要するに、プレビューとは、読もうとしている本や記事の骨格をまず明らかにするステップです。このあとに続くフォトリーディング・ホール・マインド・システムの各ステップは、その骨組みに肉づけをしていく方法です。

ステップ3――フォトリーディング

フォトリーディングのテクニックは、心身ともにリラックスし、同時に非常に集中した状態「高速学習モード」に入ることから始まります。この状態に入ると、雑念も不安も緊張も感じなくなります。

そのうえで、視線を「フォトフォーカス」の状態にします。これは新しい目の使い方です。ひとつひとつの単語に焦点を合わせるのではなく、あえて視線をぼかしたまま本を見るのです。すると視界が広がり、ページ全体が視野の中に入ってきます。

フォトフォーカスは、肉体的かつ精神的な「窓」の役割を果たします。その窓を通して、外界からの視覚刺激が直接、脳に送り込まれます。ページ全体を頭の中に写し取り、右脳の情報処理システムに送り込みます。各ページの視覚刺激に対して神経が直接的に反応し、脳は、顕在意識の批判的・論理的思考にじゃまされることなく、パターン認識を行なうのです。一秒間に一ページの速度で読むことにより、一冊の本を三分から五分で読み終えることができます。

これはいわゆる常識的な読書方法ではありません。フォトリーディングを終えた段階では、私たちの意識は読んだ内容をほとんど認識していません。つまり、意識上ではほとんど何も理解していないのです。続くステップで、私たちは必要なことがらを、意識上で認識できるように、引き出してくるのです。

ステップ4――アクティベーション

アクティベーション（活性化）によって、私たちは再び脳を刺激します。具体的な質問をつくり、脳に対して問いかけ、テキストの中で特に興味を引かれる部分を探し出します。そして興味を引かれたページにもう一度ざっと目を通す「スーパーリーディング」を行ないます。

そして、その中で特に「これだ！」と感じた箇所を、さらに「ディッピング」（拾い読み）します。ディッピングの際は、自分の直観を信じ、次のような内なる声に耳を傾けてください。

「一四七ページの最後の段落を読むんだ。そうだ、それだ。おまえがほしがっている情報はそこにあるぞ！」

本書では、アクティベーションの方法として、この他に「スキタリング」（摘み読み）

いくのが普通である。文書に「何度も目を通す」というフォトリーディング・ホール・マインド・システムのアプローチは、新しいことを学ぶのに最も効果的な方法の実践なのである。

「マインド・マッピング」等のテクニックを紹介します。アクティベーションは、脳全体を使う作業です。意識下に写し取った文書を、顕在意識上の認識へ結びつけ、リーディングの目的*を達成していきます。

ステップ５――高速リーディング

フォトリーディング・ホール・マインド・システムの最後のステップ・高速リーディングは、従来の読書や速読法にもっとも近いといえるでしょう。高速リーディングでは、文書の初めから終わりまでいっきに目を通します。

とはいっても、ここでは自分が必要なだけ時間をかけて結構です。内容の難しさや重要性、事前の知識などに応じて、読む速度を自由に調節してください。高速リーディングでは、柔軟性がキーポイントです。

高速リーディングの最大の利点は、多くのフォトリーディング初心者が感じる一番の不安を解消してくれることにあります。つまり、読んだことを忘れるのではないか、あるいは、そもそも読んだ内容をまったく吸収していないのではないか、といった不安です。高速リーディングは意識上で行なわれる作業ですから、内容をしっかり理解したいという私

＊リーディングとは、書かれていることがらを学ぶという作業である。初めての曲を演奏したり、初めてのコースでゴルフをするとき、最初からいきなり完璧なプレーをしようとは思わないだろう。各パートを何度も繰り返し練習することで、徐々にうまくなって

たちの欲求を満たしてくれるのです

ただし、このステップは、ほかの四つのステップを経たあとに来るものだということを忘れないでください。それらのステップを踏んでいくことで、テキストへの理解はどんどん深くなっていきます。このシステムに慣れると、やがて高速リーディングは必要ないと感じるケースが出てくるでしょう。つまりそれ以前の段階で、すでに目的が達成されてしまっているからです。

さあ、それではいよいよ、各ステップのテクニックを具体的に学んでいくことにしましょう。

フォトリーディング　驚くべき成功事例

ある管理職の男性は、マネジメントに関する本を何十冊もフォトリーディングし、仕事が非常にスムーズになったと報告している。また別の女性は、フォトリーディングのクラスを受講した一年後、破格の昇給を得た。彼女は、フォトリーディングによって業界に対する理解を大きく深めたことが、仕事の効率の大幅な向上につながったと話している。

売上が伸びずに悩んでいたロンドンのある営業マンは、「自尊心」についての本を何冊もフォトリーディングしたところ、自分の自信と態度と売上に、すぐに変化が現われた。

あるグラフィックアーティストは、日常的にデザインブックをフォトリーディングしている。彼はそのおかげで、発想が豊かになったと話している。

ある母親は、子どもたちの勉強をもっと理解するため、彼らの宿題をフォトリーディングした。

ある校正者は、校正する前に文書をフォトリーディングすると、間違いの見落としが減ることに気がついたという。

ある広報担当者は、フォトリーディングを学んで以来、「まるでおもちゃ屋の中で暮らしているようだ」と話す。「フォトリーディングを知ってからは、とにかく何でも楽しむようになりました」

ある13歳の少年が、宿題を手伝うために、母親の大学の教科書をフォトリーディングした。そして少年は、あっという間に問題を理解してしまった。それを見た母親は、自分も絶対にフォトリーディングを学ぶ、と誓ったそうである。

あるアマチュア料理家は、料理本のコレクションをすべてフォトリーディングし、美味しい新メニューを次々と思いつくようになった。

あるフォトリーダーは、シェイクスピアを鑑賞する土台づくりのために、数週間かけてシェイクスピアの本を23冊フォトリーディングした。そのあと、戯曲を一つ選んで読んでみたところ、彼は生まれて初めて、シェイクスピアがなぜこれほど多くの人々を魅了してきたのかが理解できた。戯曲はとても読みやすく、彼はその作品を大いに楽しむことができた。

新しく家を購入したある男性は、家の手入れに関する本を見つけ次第、片っ端からフォトリーディングした。リフォームを手伝った友人たちは、彼の知識の豊富さに驚き、アドバイスを求めてしばしば電話をかけてくるようになった。

ある高校フットボールチームのディフェンス・コーチは、シーズンが始まる前にフットボールについての本を何冊も繰り返しフォトリーディングした。その結果、試合中、相手のオフェンスの作戦を的確に予想し、それに対するもっとも有効なデフェンスを組み立てることができるようになった。彼の考えるスピードと集中力は、驚異的に向上していた。

あるフォトリーダーは、フォトリーディングを学んだあと仕事を失った。彼はその後、以前より高い報酬で新しい仕事を得ることができた。彼はそれを、フォトリーディングを通してその業界の事情をすばやく知ることができたおかげだと考えている。

ある企業家は、法律顧問のアドバイスをいまひとつ理解できないでいた。そこで彼は、書店でその問題に関する本を数冊フォトリーディングした。フォトリーディングを終えて書店を出ようとしたとき、突然、頭の中をあるひらめきがよぎり、彼は急いでもといた場所に引き返した。そして直観的に一冊の本をつかみ、無意識のうちにあるページを開いた。そこには、法律顧問のアドバイスに関する詳しい説明が載っていたのである。

第2部

フォトリーディング・ホール・マインド・システムを学ぶ

第3章　ステップ1——準備

人前でのスピーチから釣りにいたるまで、私は何をする場合でも、しっかり準備をしたときの方が、よい結果を出せます。にもかかわらず、本や雑誌を読むときだけは、なぜかまったく準備をしないまま読みはじめていました。

読むことは、目的達成のための活動です。ほんの短い時間準備するだけで、集中力、理解力、そして記憶力もぐんとアップします。

準備自体は簡単ですが、それが効率的に読むための大前提となります。フォトリーディング・ホール・マインド・システムのすべてのステップは、実はこの準備から始まるのです。

フォトリーディングを始めるための準備とは、単に読む本を目の前に用意するだけではありません。準備とは、目的を明確にし、意識を一点に集中させ、読むために理想的な状

態に入ることを意味します。

1　目的を明確にする

目的を設定するというのは、特に新しい考え方ではありません。

一六世紀のイギリスの哲学者フランシス・ベーコンが、こんな名言を残しています。

「――味見のための本がある。丸呑みするための本もある。そしてごく少数の本だけが、かみしめ、消化するためにある。つまり、たいていの本は、部分的に読めば事足りるか、全部読めたとしても特に面白くはない。ほんのわずかな本だけが、真剣に熟読するに値するということである――」

どんな読書にしろ、最終的には何らかの役に立つでしょう。しかし、目的をはっきり設定すると、それを達成する確率は格段に上がります。目的を持つことで、あなたの能力を最大限に使うことができるようになるのです。強い目的意識があれば、たいていのことは達成できます。目的こそ、フォトリーディング・ホール・マインド・システムを動かすエンジンなのです。

目的を持つと、心身ともにパワーが湧いてくるのを感じます。確固とした目的意識を持つと、読むという行為に対して気持ちが新たになります。引き締まった気持ちで本に向き合うようになります。強い目的意識を持っているときは、肉体までが強く鋭敏になるのです。

●を読む

自分に向かって次のような質問をして、目的を明確に設定しましょう。

●「その文書を読むことで、最終的に何をしたいのか？」

それを読んだ後、私は自分の行為、あるいは発言がどのように変化するのを望んでいるのか。もしかしたら、私はただ暇つぶしがしたいだけなのかもしれない。もしくは、読書の時間を楽しみたいだけなのかもしれない。

●「その文書は自分にとってどのくらい重要か？」

長い目で見たとき、それは私にとってどのくらい価値があるだろうか。それを読むことで、私は何らかのメリットを得るだろうか。もしそうなら、具体的にどんなメリットだろうか。

●「どのくらい詳しい情報が必要だろうか？」

私がほしいのは大まかな概要だろうか。あるいは要点だけ理解できればいいのだろうか。それとも具体的な事実や詳細を記憶しておきたいのだろうか。初めから終わりまで読むことは、目的を達成するうえで、必要なことだろうか。それとも、ほしい情報を得るには、

ひとつの章、あるいは段落を読めば十分だろうか。

●「目的を達成するために、いまどれぐらい時間をかけることができるだろうか?」

制限時間を決めて、時間内に完了するようにしよう。すると、その仕事に集中できるようになる。

つまり、概要を把握したいのか、それとも詳細を理解する必要があるのか。何かを学びたいのか、それともただのんびりと読書を楽しみたいのか。なぜ、この貴重な時間を使って読書するのかを、明確にしてほしいのです。

あまりに多くの人たちが、行く先の定まらないまま旅に出てしまいます。どこへ行きたいのかわからないまま、「本を読む」という旅を始めてしまうのです。

読んでいるものから何も得るものがないとき、私は自分にこう質問します。

「目的は何だ?」

そんなときはいつも決まって、答が出てきません。目的がないと、本を読むことは、受身の活動になります。目的なしにテレビを眺めているのと同じで、多くの場合、時間の無駄となってしまうのです。

目的を持つことは、結果的に、時間をうまく使うことになります。

この情報化時代、私たちはもはや、すべての文書を、同じようなスピードで、同じように深く読む余裕はありません。読まなくてはならない文書の量から考えて、それは不可能です。

また、その読み方自体、賢明ではありません。フランシス・ベーコンが言ったように、文書の中には、詳しく読む価値があるものもあれば、まったく読む価値がないものもあるからです。

ところで「本を読むことにはさまざまな目的がある」ということは忘れないでください。たとえば、歯医者さんで何かを読むとき、その目的は、気を紛らわすためでしょう。隣から聞こえてくるドリルの音から気をそらしたいということです。これは立派な目的であり、読むことをあなたが望む活動にする、原動力となります。

何かを読むときは、その都度、必ず目的を明確にしましょう。この習慣は集中力を高めます。目的をはっきりさせると、脳は効率よく働きはじめます。

さらに、目的を持つことは、私たちを罪悪感から解放してくれます。

この「罪悪感」という言葉は、読書の習慣について話すとき、よく使われるものです。私たちの頭の中にはたいてい、「正しい読み方」についての既成概念が刷り込まれています。ある男性がこんなことを言っていました。

「雑誌を買うと、すべての記事を読みたいわけじゃないんだけど、全部読まなければならない気になってしまう」

目的意識を持てば、読む必要のない記事を無視しても、罪悪感は生まれません。自分にとって価値のない記事は、どんどん排除するまでです。

目的を設定するには、二秒とかかりません。しかし、それがもたらす効果は、一生を考えると、何百時間もの節約につながります。

目的を明確にすることは、読み方のレベルを、瞬時にして永遠に変えてしまうほどの、凄い威力を持つのです。

2　文書を読む理想的な状態に入る

もっとも効率的に読むことができる状態は、身体がリラックスし、気持ちが集中しているときです。このリラックスした集中状態が保てると、内容をしっかり理解し、長く記憶することができます。

それでは、リラックスした集中状態に入るためには、どうすればいいのでしょうか？

この状態にすばやく簡単に入る方法として、「ミカン集中法」があります。このテクニックは、とてもシンプルなのですが、一点に注意を集中させ、読書の効率を即座に向上させることができます。

読むことも記憶することも、その効率を上げるためのカギは「集中力」であることが、長年の研究でわかっています。

人は意識上で一度に七バイト（もしくはその前後二バイトまで）の情報に注意を向けることができます。米国の電話会社「ベル・テレフォン社」が最初に電話番号を七桁にしたのはそのためです。言いかえれば、人は意識上で、約七バイトまでの情報を、同時に処理する能力があるということです。

本を読むとき、効果的に集中するためには、注意をある一点に固定すればいいことが研究でわかっています。このとき、注意をどの点に固定するかが重要なポイントです。たとえば、車の運転をしているときに注意を注ぐべき場所は、前方の道路です。ボンネットの飾りでもなければ、前の車のバンパーでもありません。

文書を読む際に、注意を固定する理想的な位置は、ちょうど後頭部の上あたりです。「ミカン集中法」は、注意を理想的な位置に固定します。そして、身体と頭の両方を、瞬時に「リラックスした集中状態」に持っていきます。

●を読む

やり方は次のとおりです。

●手のひらにミカンをひとつ持っていることを想像してください。ミカンの重さ、色、手触り、匂いを感じましょう。それをもう一方の手にポンと投げ、受け取ります。それをまたもとの手に投げ返し、しばらくお手玉のように両手の間を行き来させます。

●次に、ミカンを利き手に持って、後頭部の上一五〜二〇センチあたりに持っていってください。手でその辺り（空間）に、そっと触れてみましょう。手を下ろし、肩を楽にした後も、ミカンはそこに留まったままであると想像します。それは魔法のミカンで、あなたがどこに置こうと、置かれた場所に留まります。

●静かに目を閉じて、後頭部の上方にあるミカンのバランスを取りましょう。そのとき、肉体的、精神的状態に変化が起こるのを感じてください。あなたはリラックスしていながら、同時にとても集中していきます。目を閉じたままでも、視野がだんだん広がっていくのを感じてください。

●リラックスした集中状態を保ちながら、目を開けて、文書を読みはじめます。

実際に「ミカン集中法」の効果を体験してみましょう。

この本の中のまだ読んでいないページを適当に開いてください。まず、「ミカン集中法」を用いずに、段落を二つか三つ読んでみてください。そして、読んだ感じ、印象を覚えておきます。

次に、ここで説明した方法でミカンを所定の位置に固定し、別の段落を二、三読んでください。

終わったら、二つの体験を比べてみましょう。

人によっては、いつもと違うことをしているという意識が過剰になって、効果を感じるのが難しいかもしれません。しかし、この実験を行なった人の多くが、視野が拡大したり、目の動きがスムーズになったと言います。さらには、一度にひとつのフレーズ、あるいはまるまるひとつの文章を読み取ることができたと報告する人もいます。

「ミカン集中法」を使うと、より速く、よりスムーズに、文章を読めるようになります。集中力が増し、読むという活動がよりリラックスした作業になるのです。

初めのうちは、意識してミカンを後頭部の上に置かなければなりませんが、やがてそれは条件反射的にできるようになります。つまり、何かを読もうとすると、自然に注意のひとつがその位置に固定されるようになるのです。

この肉体的にリラックスし、精神的に集中した状態は、ほかの活動においても大きな効果を発揮します。多くの研究において、この状態は、人間の能力を最も発揮しやすい状態だということが明らかになっています。このように我を忘れるという状態は、瞑想や祈りにも共通する状態です。

リラックスしているといっても、それは居眠りをするような状態とは違います。あなたは穏やかな精神を保ちながら、しかも集中しているのです。

このときあなたは、生まれながら備わる能力を、最大限に使うことができるのです。

三〇秒で準備をするには？

次の手順に従えば、三〇秒で、読むための準備が整います。テープに録音したり、友達に読み上げてもらいながら、やってみるといいでしょう。

●これから読む文書を自分の前に置きます。まだ読みはじめないでください。
●目を閉じて、リラックスしてください。頭のてっぺんから爪先まで、自分自身を意識します。背骨を伸ばし、余分な力を抜いて、ゆっくりとしたリズムで呼吸します。

●心の中でこの読書の目的を言います（例：「これから一〇分間、私は時間を上手に使うためのアイデアを得るために、この雑誌記事を読みます」）。
●ミカンを後頭部の上に置くことを、想像してください。
●リラックスした集中状態にある自分を意識します。目元と口元にほんのりと笑みを浮かべて、顔の緊張をほぐします。あなたの目と心は、いま直接つながっています。あなたの視界が広がっていくのを感じます。目を閉じたままでも、あなたは自分の視界が広がっていく
●このリラックスした集中状態を維持しながら、そっと目を開き、あなたが心地よいと感じるスピードで、読みはじめてください。

「ミカン集中法」の由来とは？

文書を読むために理想的な状態をつくるというのは、多くの人にとって容易なことではありません。特に職場ではかなりの難題となるでしょう。職場では、鳴り響く電話や話し声、あとに控えた会議の準備、さらには帰りがけの買い物や車の修理のこと等。さまざまな雑念が、読書のじゃまをします。

頭の中がそんな紛糾状態で、私たちはどうやって集中できるのでしょう？　文字どおり、

注意散漫です。落ち着いて文書を読むことなど、実際、不可能に近いのです。

一方、文書を読むために理想的なのは、いま従事していることに完全に没頭できる状態です。我を忘れるほどの集中する状態で、「フロー状態」と呼ばれることもあります。そしてこの状態は、「ミカン集中法」によって作り出すことができるのです。

一九八〇年代の半ば、私は脳と心に関する雑誌「Brain/Mind Bulletin」で、リーディングの専門家ロン・デイヴィスについての非常に面白い記事を読みました。デイヴィスはかつて読書障害*を持っていました。その解決法を探す中で、彼は二つの事実に気づきます。

読書障害を煩う人々は、注意を一点に定めることができないという事実。

一方、優れた読み手は、後頭部の上の一点に注意を固定するという事実。

この発見をして、彼は自ら、その位置に注意を固定させる訓練をしました。その結果、彼の読書力、文章力、そして文字を綴る力は、三年も経たないうちに、小学校レベルから大学レベルへと一気に向上したのでした。

デイヴィスは現在、読書障害を持つ人々のために個人クリニックを開業しています。彼の著書『The Gift of Dyslecia（読書障害者の才能）』には、そのテクニックの詳細が書かれています。彼のセッションは、まず「視界意識の中核」と呼ばれる、注意を定める理想

＊文字が、鏡に映されたように反転して見える障害。文章を読んでもその意味がなかなか理解できず、読書スピードが遅くなるのが特徴。

的な位置を見つける訓練から始まるそうです。

私もさっそくこのテクニックを試してみました。そしてすぐさま、集中力がアップし、読むことが楽になるのを実感しました。

そして私は考えました。

「このテクニックが読書障害者に有効ならば、普通の人にとっては、どんな効果があるのだろう。注意力が散漫なために、読書がうまくできない場合に、有効なのではないだろうか？」

デイヴィスの体験は、私の研究にとって大きな前進となりました。彼の「視界意識の中核」の効果を最大限に得るために、私は「ミカン集中法」を考案したのです。

ほとんどの人は、この「ミカン集中法」を使うことで、いくつかの効果をすぐに体験します。まず、リラックスした集中状態にすばやく簡単に入ることができます。さらに、気持ちが落ち着き、自然に集中力が高まります。これはつまり、読むスキルが瞬時にして向上したことを意味します。

歴史を振り返ってみると、「ミカン集中法」はさまざまな形で実践されています。中国に伝わる「思考帽」や「魔術師がかぶる三角帽」、そしてなんと「ダンスキャップ」（訳注：昔、学校で物覚えの悪い生徒や怠け者の生徒に罰としてかぶせた円錐形の帽子）も、

もともと注意力を高めるために考え出されたものでした。これらの帽子はいずれも、注意を頭の後部上方の一点に固定させる働きをするのです。

さあ、このテクニックを試してみましょう。

ミカンのイメージがあなたに合わなければ、ほかの方法で後頭部の上に注意を持っていくこともできます。たとえば、麦わら帽子をかぶったつもりになり、そのてっぺんに一羽の鳥がとまっていることを想像してみましょう。頭に麦わら帽子の重みを感じながら、注意をその上の鳥に集中させます。

また、「体の外に抜け出して読書を行なっている自分」「自分自身の頭の上を見つめている自分」を想像する、という方法もあります。その際、自分の気持ちや感じ方に変化が起こるのを実感してください。

いままで説明したいずれかを使って、注意を一点に固定してから目を開くと、不思議なことが起こります。読もうとしている文書が、突然、簡単なものに思えてくるのです。視界が広がり、ページを押さえている両手までよく見えてきます。このとき、あなたは以前よりはるかに多くの視覚情報を取り込める状態になっています。

脳をリーディングに適した状態に調整することが、ここでの目的です。

読んでいる間ずっと、頭上にミカンを感じ続けるわけではありません。注意を一点に定めるというのは、ちょうど石のアーチの頂点にかなめ石を設置するのに似ています。頂点のかなめ石が、その他のすべての石を所定の位置に維持する役割を果たすのです。

このことと同じように、注意のひとつを一点に固定することによって、残りの注意力を読書に集中させることができます。

注意のひとつをひとたびそこに固定したあとは、それについては忘れても大丈夫です。玄関を通るとき、そのドアまでいっしょに持って入る必要がないのと同じです。そのまま、文書を読みはじめてください。

あとは、あなた自身の脳に任せればよいのです。

●を読む

この章で学んだことについて、もう一度簡単に復習してみましょう。

●準備は、フォトリーディング・ホール・マインド・システムの大前提である。

●準備を構成する二つの要素は、目的を明確にすることと、後頭部の上の一点に注意を固定して、理想的な読書状態に入ること。

●目的を持って読むことは、脳をもっとも効率的に使うことができる。

●「ミカン集中法」は、注意を一点に固定し、理想的な読書状態をつくり出す方法のひとつである。

ここから先を読むときに、さっそくこのテクニックを使ってみましょう。

強い目的意識を持って次の章を読んでいる自分を思い描いてください。後頭部の上の一点に注意を固定しましょう。その際、注意がその位置に移動するのを体で感じてください。

読書を始めると、あなたはリラックスしていながら、同時に集中している自分を実感します。いま、あなたはフロー状態に入りました。読書の態勢が整ったのです。

それでは、次のステップへと進みましょう。

第4章 ステップ2――プレビュー

私たちは、すでに知っていることしか読むことができません。つまり、人間の脳はなじみのあるパターンしか理解できない、ということです。事前にその文書についての知識が多ければ多いほど、読むことは簡単になります。

文書の持つパターンを知る近道が「プレビュー」です。プレビューを行なうと、内容を理解するスピードがぐんと速くなります。そしてそれに要する時間は、ほんの数分、場合によっては数秒しかかかりません。

プレビューには三つの段階があります。

1. 文書を調査する。
2. キーワードを見つける。

3. 読書方針の再検討（読むかどうかを検討する）。

1　文書を調査する

家を購入する場合を考えてみましょう。あなたはどのように家を見て回りますか？　私と妻の場合は、まずその家の近所を調べました。湖岸まで歩き、付近を一周りしました。続いて車で小学校までドライブ。そして町の中心に入りました。さらに、地図を見ながら近郊の町や公園も探索しました。

つまり私たちは、その地域全体にざぁーと目を通すことから始めたのです。本や雑誌、その他の出版物を読むときも、まず全体に目を通すことから始めましょう。このように全体に目を通すことを、「調査」と呼びます。調査を行なうことで、文書の構成がわかり、どのように読み進めればよいかが、見えてきます。

●を読む

本の中を歩き回りながら、次の事項をチェックしてください。

●本のタイトルとサブタイトル
●表紙および裏表紙に書かれた文章

●目次
●著作の日付
●索引
●本の場合は、最初と最後のページ。その他の書類の場合は、章の最初と最後の段落
●見出し・小見出し、および太字部分や傍点が付けられた箇所
●囲み、図、表、およびその説明
●概要、要約、章末の設問

以上の確認作業をやってみて得られる情報の多さに、あなたはきっと驚くことでしょう。場合によっては、この調査段階で、知りたいことのすべてを見つけられることさえあります。

調査をすることで、文書の概略がわかり、自分がこれから読んでいく内容について、ある程度予想を立てることができます。また重要な情報がどこに書かれているかを知る手がかりともなります。

たとえば入門書のような〝ハウツー本〟は、一連の作業をステップバイステップで説明していくのが普通です。また、意見を述べる報告書等では、まず問題を明確化してから、

背景を説明し、その後、解決策を提示するのが、一般的なパターンです。

調査にはあまり時間をかけてはいけません。

短い記事で三〇秒、長い記事あるいは報告書で三分、本一冊で五分から八分程度で十分でしょう。それ以上時間がかかるようなら、もはや「調査」ではありません。あなたはおそらく従来のやり方でその文書を読みはじめてしまっているのです。

調査にはもうひとつの利点があります。記憶力を助けるのです。調査することで、読んだ内容を整理し、その構成を頭の中で、組み立てやすくします。どんな内容でも、自分が積極的に組み立てたものは、長く記憶できるようになります。

2　キーワードを見つける

文書を読んでいるとき、ある言葉が、急に目に飛び込んでくることはありませんか？

このように目に飛び込んでくる言葉……それがまさしく「キーワード」です。キーワードは、何度も繰り返して使われ、文書の中心的なコンセプトを表現します。

キーワードを見つけておくと、文書の概要を把握することがとてもスムーズになります。

フォトリーディングとアクティベーションの際、脳はキーワードに着目します。脳は文書中に現われるキーワードに注目し、内容をすばやく理解し、読書の目的を達成しようとするのです。

またキーワードは「好奇心」を高めます。「この言葉はどういう意味だろう」「なぜ、この文書中で使われているんだろう」という好奇心が高まると、集中力が保たれ、効率的な読書ができるわけです。

キーワードを見つけ出すのは簡単です。

たとえば、第2章で、私は「小学校で教え込まれた読書」「パラダイムの転換」「明確な目的」などの言葉を使いました。このような言葉が、キーワードです。

ノンフィクションの場合、多くの人が簡単にキーワードを見つけられます。しかし、短編や戯曲、小説、詩などのフィクションになると、なかなかキーワードを発見できない場合があるようです。フィクションにおけるキーワードは、人や場所、物の名前であることが一般的です。

キーワードを見つけ出すという作業は、意味を求めていきなり飛び込んでしまう前に、飛び込もうとしている水について、さっと調査をする、ということです。

約二〇ページおきにページを開き、目につく言葉をチェックしてみましょう。

表紙、目次、見出しで繰り返し使われる言葉、索引でページ番号の数が多い言葉に注目しましょう。キーワードを見つける際に、大事な目安となります。

記事の場合は五～一〇個のキーワードを頭に思い浮かべ、本の場合は二〇～二五個のキーワードを実際に書き出してみることをお勧めします。二分ほどあれば、見つけられるはずです。

この作業を、リラックスして楽しんでください。

「よし、見つけてやろう！」と気張るよりは、ゲーム感覚で楽しんだほうが、簡単に見つけられます。

3　読書方針を再検討

プレビューの最終段階は「読書方針を再検討する」ということです。調査結果とキーワードのリストから得た情報をベースに、自分自身に次のような質問をして、この後の読書方針を検討します。

「文書が、このまま読み進むに値するか？」

「さらに内容を詳しく知りたいか？」

「読み続けることで、当初の目的が達成できるのか？」

「あるいは、目的自体を設定し直す必要があるか？」

「八〇／二〇ルール」を知っていますか？　ある結果をもたらす要因を、重要なものから順にリスト化すると、上位の二〇％が、結果の八〇％を決めるという法則です。この法則は、文書を読むことにも当てはまります。いま読もうとしている本や記事が、あなたにとって、重要な上位二〇％に入るかどうか？　それを見極めることは、目的を達成するうえで、とても大切なことです。

プレビューを終えた時点で、あなたはその本、その書類を「読む価値がない」と判断するかもしれません。その判断は、この情報過多の社会において、賢い選択肢のひとつです。必要ない情報を入手する手間を省けるのですから。あなたには、他にやることがたくさんあります。時間は、そのためにとっておきましょう。

また、プレビューの結果、「概要だけわかれば十分だ」と判断することもあるでしょう。それも賢い選択です。プレビューをしたことで、後で詳細が知りたくなったときにも、どこを見ればよいかがわかります。

つまり「百科事典を一セット持っている」というようなものです。各巻の内容をすべて覚える必要などありません。必要なときに、どの巻を取り出せばいいか、わかっているだけで十分なのです。

スーパーで買い物をするように読む

私たちの脳は、入手した情報の整理とパターンの認識に長けています。

プレビューはその両方に役立ちます。文書の内容を整理し、パターンを認識し、主旨を見つけ出して、全体の理解を助けます。

数冊の本をプレビューすると、目的達成のカギとなる重要な情報を含む部分が、文書全体のたった四〜一一%に過ぎないことがわかってくるでしょう。

整理する前の文書は、ちょうど新生児が初めて目にする世の中のようなものです。脈絡のない音や景色、その他のさまざまな感覚の連続――まさに心理学者ウィリアム・ジェームズが言った、「にぎやかで騒々しい混乱」の状態です。

プレビューを成功させる秘訣は、文書に深く入り込まないことです。

プレビューの途中で、思わず普通に読みはじめたくなることがあるかもしれません。詳細に目が行きそうになったら、ひとまずその衝動を抑えて、プレビューに戻ってください。

読む活動に費やす一分一秒から、最大限の価値を引き出したいものです。詳細を読みはじめるのが早すぎると、結局すぐにスピードダウンし、目的にまったく関係のない段落やページをだらだらと読んでいくことになってしまいます。そのため意欲がそがれ、興味もなくなり、やがて素晴らしい居眠りの時間へと突入していくのがオチです。

こんな事態を避けるために、詳細を読むのはいましばらくガマンしましょう。ガマンすると、読みたいと思う気持ちが強くなります。「もっと知りたい」「頭の中にでき上がりつつある骨組みを埋めていきたい」という欲求が生まれるのです。

プレビューの大きな役割のひとつは、情報に対する渇望感を生み出すということです。その気持ちはあなたを文書に引き込み、欲求を満たすために脳全体を活性化させます。

何かを読むときは、必ずプレビューをしましょう。プレビューをせずに、長い、あるいは難解な文書を読むのは、リンゴをひとつ買うために、スーパーマーケットの棚のすべての商品をひとつひとつ見て歩くようなものです。そんな無駄なことはしないで、最初から果物売り場へ行って、ほしいリンゴを手にしようではありませんか。

本を読むときも同じです。あなたの目的にもっとも適った箇所へ直行するようにしてください。

誰もが陥りやすい落とし穴

プレビューは、ともすれば落とし穴になる可能性もあります。なぜなら、プレビューを初めて行なう場合、それが従来の読み方とあまり変わらないように見えるからです。その本や記事に書かれていることが知りたくて読むわけですから、つい面白そうなところを二、三〇分かけて読んでしまいたくなるかもしれません。そうした誘惑に負けないよう気をつけてください。それはプレビューではありません。

意識レベルでそれだけ多くの量の情報を取り込むと、普通の読書法で使われる左脳の記憶装置が起動し、右脳の持つ巨大なデータベースへアクセスできなくなってしまうのです。そうなると、フォトリーディングをしても、脳はプレビュー時に入手した情報しか認識できなくなってしまいます。

フォトリーディングの初心者は、プレビューのやり方をよく間違えます。典型的なコメントは、「フォトリーディングをしてもさっぱり効果を感じない」というものです。そんなとき彼らに「どうやって読んでいるの?」と質問してみると、たいていの人がプレビューに一五分以上もかけているのです。

プレビューにどっぷり使って、通常の読書を始めてしまった場合は、ただちにプレビューを中断してください。そして、その文書が読むに値するかどうかを確かめるためだけに、あらためて一分以内のごく短いプレビューを行ないます。長めの記事や本の場合でも、一分以内にとどめてください。そしてそのままフォトリーディングへと進み、そのあとで「ポストビュー」を行ないます。

ポストビューは、プレビューと同じような手順で行ないます。「文書の調査」、「キーワードの探索」、そして「レビュー」、すなわち読み進めるかどうかの検討です。これらのステップを、フォトリーディングのあとに行なうのが、ポストビューです。

プレビューを行なってからフォトリーディングをしてもいいし、フォトリーディングをした後すぐに、ポストビューを行なうというやり方でもいいのです。

教育心理学者で『頭脳の果て～アインシュタイン・ファクター』（きこ書房）の著者であるウィン・ウェンガー博士は、プレビューよりもポストビューを重視しています。そのほうが、右脳の高速情報処理システムを「起動状態」に保てるからだそうです。

ポストビューについては、第6章で詳しく説明します。

プレビューかポストビューか？

ウェンガー博士のように、ポストビューを重視するという意見もありますが、私はあえて、フォトリーディングの前にプレビューを行なうというやり方をお勧めします。なぜなら、それが情報の「受け入れ準備」という重要な役割を果たすからです。

プレビューをすることで、脳はこれから入ってくる情報を前もって整理しておくことができます。つまり、これから入手するデータを振り分けるための「フォルダー」をあらかじめ準備しておくことができるのです。特に子どもは、まだ未熟な脳を適切に導くためにも、プレビューをするべきでしょう。

フォトリーディングの初心者は、本一冊をプレビューするのに五分から八分かかりますが、熟練者は先のステップへ進むべきかどうかを決めるのに、たいてい一分から三分しかかかりません。

ただし、プレビューよりポストビューが適している場合もあります。

あまり詳しくない分野の読書、芸術書のように創造性が鍵になる読書、そしてパラダイム転換のために新たな知識やスキルを得るための読書には、ポストビューを重視するのがいいでしょう。意識のフィルターが働くのを防ぐ効果があるからです。またポストビューには、アクティベーションのプロセスを加速させる効果もあります。

まとめ

この章で、あなたは以下のことを学びました。

●プレビューは、これから入手する情報を整理・分類し、その結果、読むスピードと理解力を高める。

●プレビューは、「文書の調査」「キーワードの探索」「読書方針の再検討」の三ステップからなる。

●調査とは、文書全体にざっと目を通し、文書の構成を把握することである。

●キーワードとは、繰り返し使われ、目に飛び込んでくる、力のある言葉である。

●読書方針の再検討とは、読もうとしている文書が自分の目的にかなったものであるかを判断する作業である。

●プレビューに時間をかけすぎると、通常の読書に慣れた左脳だけに頼る結果、右脳の巨大データベースへのアクセスを断ち切ってしまう恐れがある。
●フォトリーディングの初心者は、プレビューの代わりに、ポストビューを行なってもいい。特にプレビューの段階で内容を全部読んで理解しようとする読者にとっては、プレビューはごく短時間にとどめ、ポストビューを重視してもいい。

この一週間に読むことになりそうな文書を思い浮かべてください。その文書をプレビューすることを想像してみましょう。ほんの少しの時間をプレビューに割くことで、必要な情報にすばやく到達できます。余分に読むことをしないで済むため、この一週間、あなたは何時間もの時間を節約できることになるのです。

第5章では、次のステップ、「フォトリーディング」を学びます。いよいよ、このシステムのもっともエキサイティングな部分に突入です。

フォトリーディング　驚くべき成功事例

あるビジネスマンが、会議でのスピーチを依頼された。関係資料を読み、メモを取ってスピーチ原稿を書くといういつもの方法で準備する時間がなかったため、彼は数冊の本をフォトリーディングしただけで、ぶっつけ本番でスピーチに臨むことにした。ところが、いざスピーチを始めると、驚いたことに言葉が次々とあふれ出てきたのである。彼はふと頭に浮かんだ統計にまで言及することができた。それは明らかに、無意識レベルから提供された情報だった。彼のスピーチは、聴衆から素晴しい反応を得た。あとで資料を調べたところ、スピーチの内容はすべて正確だったことが証明された。

あるコンピュータプログラマーは、何ページにもわたるコードをフォトリーディングし、プログラムの欠陥をすぐに見つけ出せることに気づいた。別のプログラマーは、ほかのプログラマーが書いたプログラムを何ページもフォトリーディングすると、より効率的なプログラムを書くことができると話す。

あるミステリー作家は、さまざまな執筆スタイルやテクニック、ダイアログや描写方法などを身につけるために、何十冊ものミステリー小説をフォトリーディングした。するとすぐに、執筆作業は流れるようにスムーズになった。彼はそれまでは原稿を五回も六回も書き直していたが、いまでは一回くらいの書き直しで、編集者に渡せるようになった。

あるスーパーコンピュータ会社のヴァーチャル・リアリティ部門のテクニカル・ディレクターは、ヴァーチャル・リアリティに関するあらゆる資料をフォトリーディングした。フォトリーディングのクラスを受講して以来、彼は全国各地の会議で精力的に論文を発表するようになり、同僚たちからの高い評価と尊敬を得ている。

フォトリーダーの男性が、ある人物の名前を思い出すために、電話帳をフォトリーディングした。その名前が載ったページをフォトリーディングしたほんの数秒後、人物の名前はみごとに彼の頭の中によみがえった。

ある女優は、最初に台本全体をフォトリーディングすると、普段より台詞覚えがよくなるという。またそのほうが、演じる人物についてもよく理解できるそうだ。

ある簿記係は、スプレッドシートの扱いが飛躍的にうまくなったという。彼女は、コマンドを覚えるのも、エラーを見つけ出すのも、以前よりずっと簡単になったと話している。

ある弁護士は、鑑定証人への反対尋問で、自分でもなぜそんなことを聞くのかがよくわからないまま、いくつかの質問を行なった。しかし、その理由は、鑑定証人の証言がくつがえされたことによって明らかになった。弁護士は前の晩に、証人の証言と矛盾する事実が書かれた本をフォトリーディングしていたのである。意識上では彼はその事実を認識していなかった。しかし無意識のレベルで、彼の脳は彼に、目標達成のための方向性を指示したのである。

第5章　ステップ3——フォトリーディング

フォトリーディングの能力を持つことは、多くの方にとって、成功への切り札といってもいいでしょう。今日のような情報の大洪水の中では、いままでの読書法では、あっという間に溺れてしまいます。従来の速読法を使ってもアップアップといったところでしょう。でもフォトリーディングを使えば、水の中を気持ちよく泳いでいくことができます。

この章では、フォトリーディング・ホール・マインド・システムの中でももっとも刺激的なステップについて説明していきます。

フォトリーディングは、生まれながら右脳に備わるデータ処理能力を活用するものです。あなたが既成概念にとらわれず、脳が秘めている能力を信頼できるなら、フォトリーディングは、あなたの真の学習能力を解放する素晴らしいツールとなります。

フォトリーディングは、本のページを画像イメージとして頭の中に写し取ります。これは努力したり、意識してうまくやろうという類《たぐい》の作業ではありません。完璧にやろうと一生懸命練習したりすることは、かえって逆効果です。フォトリーディングをマスターするためには、常に頭を柔らかくして、遊び心を持っていることが大切です。まずは、やってみることです。

これから、フォトリーディングの各ステップを学んでいきます。

すべて学び終えたら、さっそく本書でフォトリーディングを試してみましょう。

1　フォトリーディングの準備

フォトリーディングの準備といっても、難しいことではありません。

いくつかの簡単な質問をするだけです。

あなたがフォトリーディングしたい文書は何か?

読もうとしている文書を自分の前に置きます。その文書をフォトリーディングする数分の時間を、いま持てるかどうか、自分に問いかけます。

なぜ、あえて、この文書をフォトリーディングしたいのか?　その文書から何を得たいのかをはっきりと明示します。

この目的を明確にするという作業は、少しあとの段階で、よりはっきりとしたかたちで繰り返すことになります。目的意識は非常に重要なのです。

フォトリーディングを行なう間はその作業に集中し、外からの邪魔は一切排除します。背筋を伸ばし、余分な力を抜いた自然な姿勢で、高速学習モードへと入っていきましょう。

2　高速学習モードに入る

フォトリーディング・ホール・マインド・システムの第一ステップである「準備」の際に、「リラックスした集中状態」に入ることを経験しました。同じようにリラックスはしますが、ここで目指すのは、さらに脳の情報処理量をアップさせる状態です。

「高速学習モード」と呼ばれるこの状態に入るプロセスは、次のとおりです。

はじめのうちは、プロセスを完了するのに数分かかるかもしれませんが、慣れてくれば、大きく深呼吸するだけでこの状態に入ることができるようになるでしょう。

●体の力を抜いてください。初めてこのテクニックを使う場合は、一度横になってから、楽な姿勢で椅子にかけ直してください。

●大きく息を吸い込み、吐いてください。それから目を閉じます。

●体全体がリラックスしていくのを感じましょう。大きく息を吸い込み、いったん止めます。ゆっくりそれを吐きながら、数字の「3」を思い浮かべ、頭の中で「リラックス」という言葉を繰り返します。これは、あなたの体がリラックスする合図です。そして頭の先から爪先まで、順に筋肉をリラックスさせていきます。リラクゼーションの波が体全体に流れていくのを想像してください。緊張がすっかり抜け、心地よい状態になるまで、ひとつひとつの筋肉から力を抜いていきます。

●今度は精神を穏やかにします。大きく息を吸い込み、いったん止めます。そしてゆっくりと吐き出します。数字の「2」を思い浮かべて、頭の中で「リラックス」という言葉を繰り返します。これはあなたの心がリラックスする合図です。過去も未来も忘れて、いまこの瞬間に集中しましょう。吐く息といっしょに、不安や緊張はすべて流れ去っていきます。吸い込む息とともに、あなたの体の中に、穏やかさと静寂が広がっていきます。

●もう一度、大きく息を吸い込み、いったん止めます。そしてゆっくりと吐き出してください。頭の中で「1」という声が聞こえます。そうしたら、一輪の美しい花を思い浮かべてください。これは、あなたが意識を集中し、脳の潜在能力のレベル――つまり、より大きな創造力と学習能力が発揮される状態に到達した合図です。

静かな美しい場所にいる自分を想像してください。そこでは、目に入るもの、聞こえてくるもの、すべてに気持ちが和らぎます。そこで一時間ほど過ごしている自分を想像しながら、少しの間、楽な姿勢で休んでください。

次のステップへ進む前に、残っているすべての緊張や雑念を消し去るよう、静かに自分に言い聞かせましょう。フォトリーディングの間は、この肉体的、精神的なリラックス状態を維持していきます。

この高速学習モードへ入るプロセスは、脳のより高性能な情報処理機能へとつながるためのプロセスでもあります。この状態に入ると、右脳が作動し、情報のインプットに備えます。脳は、あなたのポジティブな考え方に、より積極的に反応するようになります。

3　アファメーションを行なう

気持ちの持ち方次第で、学習効果が大きく左右されます。プラス思考は学習を助け、マイナス思考は学習の妨げとなります。

考え方をプラス思考に変える際に、とても効果的な方法は、アファメーション（肯定的暗示）を行なうことです。世界的なスポーツ選手が、試合の前に、アファメーションを行

なうという話は、皆さんもご存じでしょう。なぜなら、アファメーションを行なうか行なわないかで、記録が大きく違ってくるからです。

読書でも同じです。アファメーションを行なうことで、フォトリーディングした文書を、右脳のデータベースに効率的に送り込みます。

フォトリーディングの際に行なうもっとも有効なアファメーションは、次のとおりです。

●「フォトリーディングの最中、私は完全に集中している」

●「フォトリーディングした情報はすべて、私の意識下にいつまでも残り、私の役に立つ」

●「私は○○（あなたの目的を言う）を達成するために、この本（タイトルを言う）の中の情報を得たい」

アファメーションは、明確に目標を設定することにより、脳の働きに方向性を与えます。そして、意識が設けた限界を飛び越え、否定的な考えを修正していきます。その結果、成功の確率を引き上げていくのです。

目標を設定する際には、それがあなた自身にとって達成可能なものであることが大切です。

たとえば、「フォトリーディングしたものをそっくりそのまますべて思い出せるようにしたい」といった目標は、適当ではありません。すべてを完璧に思い出すなどということ

は、そもそもフォトリーディングの目的ではないのです。そのような無茶な目標は、いたずらにフラストレーションを生むことになります。

建設的な目標とは、たとえば、次のようなものです。

「この文書の内容をしっかりと吸収し、そのテクニックやコンセプトを実生活においてすぐに活用できるようになること」

これなら、あなた自身の力で、達成することができます。

4　フォトフォーカス状態に入る

このステップでは、いままでの読書とは異なる目の使い方で、文書を見るようにします。「フォトフォーカス」と呼ばれる、目の使い方です。

ひとつひとつの語句にはっきりと焦点を合わせるのではなく、一度にページ全体を眺めます。フォトフォーカス状態で文書を眺めることで、目で取り込んだ情報を直接、意識下に送り込むようにするのです。

フォトリーディング・ホール・マインド・システムの開発当初に、焦点をしっかり合わせてものを見ると、目で感知された情報は、意識上を通って、脳に取り込まれるということに気づきました。フォトリーディングでは、情報を意識上ではなく、意識下を通して、脳に送り込む必要があります。そこで私は、「焦点を合わせずにものを見るにはどうすればよいだろうか」と考えました。

「焦点をぼかす」ことでは、解決にはなりませんでした。それでは単にぼーっとしてしまうだけでした。ぼーっとしていると、肉体的にはリラックスしていても、心の集中状態は途切れてしまうのです。

ある日の午後、私はこの難問について考えを巡らせました。私は、ベティ・エドワーズという美術教師についての記事を読みました。彼女は著書『Drawing on the Right Side of the Brain』の中で、「もし親指を描きたいなら、親指を描こうとしてはいけません」と書いています。なぜなら、それでは、分析を司る非芸術的な左脳を使ってしまうからだそうです。彼女は、「親指を描くなら、親指の周りの空間を描きなさい」と言うのです。この方法だと、創造を司る右脳が使われるからです。

彼女のアドバイスに従って、私は見開きにした本の両ページを見つめました。文字を見ずに、余白部分全体を一度に視界に取り込もうとしました。すると突然、二つのページがくっきりと奥行きを帯びはじめ、ほとんど立体的に見えるようになったのです。そしてページと右ページの間に、三つ目の、細く丸まったページが現われたのです。

私は子どものときのある体験を思い出しました。子どものころの私は、じっと座っていなければならないようなとき、いろいろと空想を巡らせる癖がありました。たとえばタイルの床に座っていると、床が立体的な格子のように見えたりしました。一五センチほどの深さで二層の線が走っているように見えたのです。しっかり見つめ直すと、それは消えてしまいました。遠くを見ているような感じで、床を漠然と眺めているときだけ、そうした見え方ができたのです。

このユニークなものの見え方に気づいたことが、フォトフォーカスのはじまりでした。それ以来、研究を進めていく中で、意識の範囲内ではなく、脳全体を使ってものを見ようとする古来のさまざまな方法の中に、このフォトフォーカスの概念が存在することがわかってきました。

フォトフォーカスの真髄は、「ソフト・アイで見る」という新しい方法で目を使うことにあります。これは、私たちが日ごろ行なっている、はっきりと焦点を絞ってひとつひとつの単語や文章、段落を見るという作業とは、まったく異なります。

フォトフォーカスでは、周縁視野を使って、見開きページ全体を一度に脳に写し取ります。目で取り込んだ情報を、意識に上がる前に処理し、それを右脳にある巨大な記憶のデータベースへ直接送り込むのです。

『五輪書』の著者である一七世紀の伝説的な剣士・宮本武蔵が、この「ソフト・アイ*」を見事に説明しています。

武蔵はその書物の中で、二種類のビジョンについて述べています。ひとつは「見」と呼ばれるもので、外観や表に見える動きを観察すること。もうひとつは「観」といって、ものの本質を見ることです。周縁視野を使う「観」によって、剣士は敵を見つけ、攻撃される前に、その動きを察知できると武蔵は言っています。

私たちには襲ってくる敵はいませんが、フォトリーディングでは「観」のメリットを利用することができます。平静、集中、創造力、直観、そして視界を拡大する力です。

「観」の、あるいはフォトフォーカスの背後にある生理機能は、非常に興味深いものです。人の網膜は二つの部分に分けられます。ひとつは、円錐体と呼ばれる細胞がぎっしりつまった中心窩。これらの細胞は、視覚対象に焦点を合わせる働きをします。各円錐体はそれぞれ一本の神経繊維で脳につながっており、中心窩から入った情報は意識上で処理されます。

網膜の周辺部には、桿状体《かんじょうたい》と呼ばれる別の細胞があります。桿状体は数百個ずつ同じ神経繊維につながっていますが、これらの細胞は非常に高感度です。一五キロメートル先の一本のろうそくの火さえ感知することができます。フォトフォーカスでは、円錐体よりも、

＊「ソフト・アイ」で見るという概念は、古くから存在する。中国の老荘哲学は「すべてを見る視線」について語っている。またメキシコの呪術師ドン・ファンについて書いた人気シリーズの著者、カルロス・カスタネダも、同様の概念に言及している。

この桿状体を活用します。視界の辺域からの情報は、意識下で処理されるのです。

フォトフォーカスを使うと、意識の介入を抑えることができます。たとえば意識は、「知覚的バリア」を設けて、入ってくる情報をふるいにかけることがあります。意識の介入を減らすことは、脳のより高度な処理能力を引き出すことにつながります。

意識の介入はまた、視野狭窄という、ごく一般的な現象を引き起こします。たとえば台所で何かを探しているとき、目の前にあるのに、それに気がつかないということがあります。探し物は引き出しの中にあると思い込んでいるため、カウンターの上にあるのが目に入らないのです。フォトフォーカスにより、脳は、より多くの情報を取り込めるようになります。

フォトフォーカス状態に入る準備として、私が「ソーセージ効果」と名づけた視覚現象を体験してみましょう。

まず、壁の表面に一カ所、見つめる場所を定めてください。その一点を見つめながら、両手を目から約四〇～五〇センチの距離に持ってきます。そして人さし指の先を合わせます。

合わせた指先のすぐ上にある壁の一点を見つめていると、ある現象が起こります。

何かに焦点を絞ろうとは思わないで、視線を楽に保ってください。

指先と指先の間に、下の図のような、第三の指が見えてくるはずです。その第三の指は、ちょうどソーセージのように見えます。

一見、子どもの遊びのようでもありますが、実はこれは、あなたの視覚に大きな変化が起こっているサインなのです。ソーセージが見えるということは、ひとつのものに焦点を絞っているのではなく、両目を分散させて使っていることを示しています。このとき、あなたの視界は柔軟になり、周縁視力が向上します。

おもしろいことに、この効果は、直接指を見つめていないときにのみ起こるのです。視ずに、観る。なんだか、禅の大家が言いそうなことですね。

これと同じ効果を、本のページに応用することができます。

まず、本の上方のどこか一点に視線を定めます。本の四隅や段落と段落の間の余白を意識しながら、本の上方の壁の一点を見つめます。視線が分散しているため、左右のページの間の綴じの部分がだぶって見えます。やがてそこに、一本の丸まった筒状のもの、ソーセージのようなページが見えてきます。私はそのページを「ブリップ・ページ」と呼んで

います。

本の上方に定めた視点から下に向かって目を動かしてみてください。ちょうどレントゲンを撮るように、本の中心に沿って上から下へ視線を移動させるのです。視線を分散させたまま、ブリップ・ページを見つづけることができますか?

フォトフォーカスを学びはじめたばかりの段階では、どうしても本に焦点を合わせてしまうものです。すると綴じ目は一本に戻り、ブリップ・ページは消えてしまいます。それは習慣によるものです。むりやり逆らおうとはしないでください。リラックスして、遊びの感覚で試してみましょう。いったん休んで、少し時間を置いてからもう一度トライしてもいいでしょう。

フォトフォーカスの状態では、おそらくページ上の文字はぼやけているでしょう。

それでいいのです。ブリップ・ページを見るためには、はじめのうち焦点を少し遠くに置く必要があるからです。近い位置を明瞭にするには、目をリラックスさせて、焦点を引き寄せます。

フォトフォーカスができるようになると、ページ上の文字が、ある不思議な明瞭さと奥行きをもって見えてくるようになります。文字そのものを見ているわけではありませんから、焦点は合っていません。しかし、リラックスするほどに、それらは明瞭になってくるのです。

ブリップ・ページを見るには、もうひとつ方法があります。

机からほんの少し離れて座り、机の端の方に本を広げます。本の下端をかすめるようにして、床の上にある自分の足を見ます。そして、足への視線に重なるぎりぎりのところまで、ゆっくりと本を視野の中に移動させます。視野の中に本が入ると、おそらく綴じ目がダブって見えてくるはずです。二本の綴じ目の間に何かが現われてきます。それがブリップ・ページです。

綴じ目のダブリを維持したまま、視線が本の中心に来るまで、本と自分との距離をだんだん縮めていきます。できますか？　なかなかできなくても、心配することはありません。何年も焦点を合わせてページ上の文字を見てきたのですから、初めてフォトフォーカスにトライするのは、ちょっとした挑戦です。もちろん、人によっては実に簡単にできてしまうこともあります。

どうしてもブリップ・ページが見えない？　大丈夫、問題ありません。

ブリップ・ページが見えなくても、優秀なフォトリーダーにはなれます。
フォトフォーカスの目的は、意識の働きを最低限に抑え、意識で感知される前の処理能力を最大限に引き出すことだということを、忘れないでください。ブリップ・ページが見えるということは、視線が分散しているサインであり、これは意識の介入を防ぐ方法のひとつです。しかし、その方法はほかにもあるのです。

開いた本の真ん中の綴じ目を見つめながら、本の四隅が見えるまで視界を広げます。同時に、文字がぼやけるまで焦点をゆるめます。縁の余白や、段落と段落の間の白い部分を意識しつつ、本の四隅を結ぶXの文字を想像します（片方の目にしか視力のない人は、このテクニックを利用してください）。

これらのテクニックは、肩の力を抜いて、楽な気持ちで試しましょう。がんばりすぎは逆効果だということを忘れないでください。リラックスして、この体験そのものを楽しむことが、成功の秘訣です。二、三分試したら、もう一度トライする前に、目を閉じて数分間休みましょう。

これらのエクササイズは、見る力を強化し、バランスを整える効果があります。自然な視力回復法のすべてがリラクゼーションを基本にしているように、目を休ませる時間を持つことは、とても大切です。

これらのエクササイズのポイントは、幻覚を生み出すことではありません。焦点を合わせず、視線を分散させる方法を学ぶことです。「ソフト・アイ」の状態をつくり、フォトリーディングを行なえるようになるまでには、少し時間がかかるかもしれません。焦らないことが大切です。

フォトリーディングにもっとも適した姿勢は、背筋を伸ばして椅子に腰かけ、机に対して四五度の角度（目に対して九〇度の角度）で本を持っている状態です。あごを軽く引くようにすると、背骨が伸び、脳へのエネルギーの流れが良くなります。

視線は本の中心に向けますが、最初は、ブリップ・ページを見るために本の少し上部を見つめてもかまいません。はじめのうちは、どうしてもブリップ・ページを維持できなければ、「ソフト・アイ」にこだわらないで、単に本の四隅を結ぶＸの文字を想像するようにしてみましょう。

5　ページをめくる間、安定した状態を保つ

高速学習モードやフォトフォーカスの状態は、はじめのうちは不安定なものです。雑念や否定的な考えが浮かんで

きて集中を妨げたり、ページ上の文字に焦点を合わせたくなるかもしれません。もしそうなったら、「この時点での目的は、あくまで学習のための理想的な状態を保つことだ」ということを、自分に言い聞かせてください。後頭部の上にミカンを浮かべて（第3章参照）、もう一度ブリップ・ページを見つけましょう。

フォトリーディング中の状態を維持するためのコツが、もう二つあります。ひとつは、呼吸を深く、同じペースで行なうこと。もうひとつは、ページをめくるリズムに合わせて、心の中で、単純な言葉を繰り返すということです。ページをめくるのに合わせて、心の中で前向きな言葉を唱えながらリズムをとるようにします。そうすることで精神を統一し、否定的な考えが入り込むのを防ぐことができるのです。

安定した状態を保つことは、本の内容をすばやく効果的に取り込んでいくために重要なことです。一定のリズムでページをめくることは、ページを頭の中に写し取っていく際、脳をリラックスした状態に保つことにとても役立ちます。

●を読む

以下は、フォトリーディングの最中に、高速学習モードを保つための方法です。

●背筋を伸ばして座り、脚は組まずに、床に着ける。

●呼吸を深く、一定に保つ。

●一、二秒ごとに一ページのペースで、一定のリズムでページをめくる。見開きの二ページを「ソフト・アイ」で同時に見る。視線を本の中心に当て、ブリップ・ページを見るようにする。ブリップ・ページが見えない場合は、本の四隅と余白部分を意識しながら、四隅を結ぶXの文字を想像する。
●ページをめくるリズムに合わせて、単純な言葉を繰り返す。一音節ごとに一ページめくるというリズムで、心の中で、次のようにかけ声をかける。

リー・ラックス……リー・ラックス……

四・三・二・一……

リー・ラックス……リー・ラックス……

ペースを・保って……ページを・見ましょう……

●たとえページを飛ばしてしまっても、もう一度目を通すときに見ればよいのです。気にしないこと。
●ページをめくるリズムに合わせて、心の中でかけ声をかけ続ける。かけ声の言葉に意識を向けること。
●雑念が浮かんできたら、意識を静かに手元の作業に引き戻して、もう一度、心の中で、かけ声をかけるようにしましょう。

6　達成感とともにプロセスを終了する

あなたの意識はきっと、「フォトリーディングで何が読み取れたか?」と聞いてくるでしょう。それはごく自然な「意識」の反応です。

誰かに「いま三分間で本を一冊フォトリーディングしたところだ」と言ってみてください。あなたへの最初の質問はきっと、「それじゃ、内容について話してみてよ」というものでしょう。

コメディアンのウディ・アレンは、速読法についてこんなジョークを言いました。

「いま、『戦争と平和』を読んだところなんだ。ロシアについての話だったよ」

これは、フォトリーディングをしても、意識上ではほとんど何も理解していないという意味です。

そして、大ざっぱに言ってしまえば、それは本当の話です。

残念なのは、意識上では何もわからないために、潜在意識でも何も得られていないと考えてしまうことです。そのような否定的な考え方をすると、本当に否定的なことが起こってしまいます。つまり、「どうせ何も覚えていないだろう」とか「できるわけがない」というセリフを言うと、脳へ「フォトリーディングの間に取り込んだものを忘れろ」と命令することになるのです。そのようなセリフを言い続ければ、やがてそれは現実になってしまいます。

フォトリーディングは、脳の神経ネットワークに直接、情報をダウンロードします。入手された情報は、意識で認知される前に、即座に処理されます。

取り込んだ情報を後で引き出すためには、はっきりとした意図をもってフォトリーディングを終了する必要があります。終了時には、将来の活用に備えて、取り込んだ情報をまとめ上げるよう、脳に命令しておくのです。

具体的には、アファメーションによって、取り込んだ情報をどう処理すべきかを脳に指示したうえで、フォトリーディングを終了するようにします。

私たちの講座では、フォトリーディングを終了する際に、次のようなアファメーションを行なっています。

●私はいま、この本の印象をいま感じとっています……。
●取り込んだ情報は、頭の中に吸収され、整理されました。

●私は、この情報が取り出せることを、いろんな形で実感できるのが楽しみです。

フォトリーディングの後、あなたの中で、取り込んだ情報に対する反応が起こってきます。アファメーションは、無意識に働きかけて、その反応を促進させる効果があるのです。後々取り込んだ情報が、さまざまな形で引き出されてくるのを確認するのは、とても楽しいものです。

「意識と無意識の間が橋でつながれて、そこを情報が流れていく」と考えてもいいでしょう。リラックスすればするほど、意識の中に流れ込んでくるものに、より敏感に気づくことができるようになります。

フォトリーディングの基本となる六つのステップはとても簡単です。でもそのシンプルさにごまかされないようにしてください。このテクニックは、あなたの人生に非常に大きなインパクトを与えるものなのです。

就寝前のフォトリーディング

フォトリーディングをすることで、情報がものすごい勢いで神経システムの中に送り込まれます。まるで、消防車のホースから水を飲むようなものです。雑念を消して、無意識レベルで、情報を取り込んでみましょう。そのためには、何より、リラックスすることです。

意識下に取り込まれた情報は、寝ているときに、再び処理されます。一九〇〇年代初めに行なわれた研究では、意識下に取り込まれた情報が、夢に大きな影響を与えることが明らかになりました。ですから、寝る前にフォトリーディングする本は、精神的に優しく、明るくなるような内容のものにした方がよいでしょう。

この章では、フォトリーディングの六つのステップを学びました。順番は以下のとおりです。

１　準備する。
２　高速学習モードに入る。
３　「集中していること」「取り込んだ情報が保存されること」「ほしい情報が得られること」について、アファメーションを行なう。
４　フォトフォーカス状態に入る。
５　フォトリーディングの間、安定した状態を保つ。
６　アファメーションをして、終了する。

まだこのプロセスを試していない人は、本書を数分間でフォトリーディングしてみましょう。あるいは、今晩寝る前に、何か一冊、プラス思考で明るい内容の本をフォトリーディングしてみてはいかがでしょうか。

準備、プレビューを経て、フォトリーディングを行なったいま、いよいよ求める知識を意識の中に呼び込む準備が整いました。第6章では、そのための具体的な方法を学んでいきます。

第6章　ステップ4――アクティベーション

ミネソタ州のある州立大学の教授が、講演依頼を受けました。彼は二冊の本をもとに講演スピーチを組み立てようと考えました。そこで彼は、翌日にアクティベーションを行なうつもりで、寝る前にその二冊をフォトリーディングしました。

その夜、彼は自分がスピーチをしている夢を見ました。夢から覚めたとき、彼は急いで紙と鉛筆を用意し、夢の中のスピーチ内容を覚えているかぎりメモしました。

朝起きて、彼はメモを読み返してみました。すると、わずかな手直しが必要とはいえ、そこにはほぼ完璧なスピーチ原稿が出来上がっていたのです。その日、彼が二冊の本を調べてみたところ、必要な事項はすべてメモに記されていいたそうです。

フォトリーダーたちからそんな話を聞くのが、私は大好きです。そうした例は実際に起こっているのです。しかし多くの初心者フォトリーダーにとっては、そのような体験はまだまだ特別なことに思えるかもしれません。

この章では、フォトリーディングした文書から必要な情報を意識的に取り出す方法を学んでいきます。


私は、何もしないのに、夜、自然に夢を見て、次の日みんなの前で発表できたり、学校のテストで良い成績が取れる、などと言うつもりはありません。取り組んだ情報を活性化することで、はじめて理解できるようになるのです。


フォトリーディング・ホール・マインド・システムの次なるステップは「アクティベーション」です。このステップでは、設定した目的を達成するために、取り込んだ情報を意識上で理解できるようにします。アクティベーションは、段階的に理解力を深めていきます。まずは、情報を意識上で認識することから始めます。やがてその内容について少しずつ理解を深めていき、最終的に、求めていた知識を獲得します。

アクティベーションは、フォトリーディングの後に行ないますが、これは通常の読書の後で内容を思い出そうとする作業とは、大きく異なります。アクティベーションは、意識上で分析的・論理的に「思い出そうとする」のではありません。フォトリーディングによってつくられた新しい神経経路を、再度刺激するためのテクニックなのです。

意識上で理解していくためには、明確な目的意識を持った積極的な姿勢が不可欠です。アクティベーションを行なっていると、目的に見合った情報が自然と目に入ってきます。しかし目的がなければ、アクティベーションの価値はほとんどありません。

アクティベーションには二種類あります。意図せずに起こる「自然発生的なアクティベーション」と、「意図的なアクティベーション」です。

アクティベーションは、意識的に努力しなくても自然に起こることがあります。これが自然発生的なアクティベーションです。

あなたにも、「ああ、そうか！」と思わず膝を打つ、というような体験があるでしょう。たとえば、何週間も頭を悩ませていた問題の解決法が、突如としてひらめいた。集まっている人を見ていて、突然友人の顔が浮かんだ。何カ月も前に会った人の名前を急に思い出した……。誰もが、このような体験をします。

こうしたアクティベーションは、過去の体験、つまり脳の中にすでに存在している神経パターンへの自然な結合によって起こります。私たちの周りの何らかの要素が、思わぬ刺激となって、過去に取り込んだ関連情報を一気にあふれ出させるのです。このような自然

発生的に起こるアクティベーションは、突然、予想もしないときに起こる「ひらめき」にも似ています。

自然発生的に起こるアクティベーションのエピソードは多くのフォトリーダーたちから報告されていますが、これはあくまで素敵なデザートであって、フォトリーディング・ホール・マインド・システムのメインディッシュではありません。

より重要なのは、意図的に行なうアクティベーションです。この章で皆さんが学ぶのは、こちらです。このアクティベーションは、実際の文書を使って脳を再度刺激し、あなたが必要とする情報を意識上に引き出します。

アクティベーションを行なっていると、理解力が次第に増してくるのを感じると思います。まず内容を認識。その後、概要を把握。そして最終的には、必要な知識を確立できるようになります。

この次第に進んでいくプロセスの中で、何を感じるか、何を考えるか、何を体験するか、自分自身をよく観察してみてください。客観的に自分を観察することで、直感が発する信号を理解し、アクティベーションのスキルをさらに高められるようになります。

ポストビューで、アクティベーションに弾みをつける

フォトリーディングの後に「ポストビュー」を行なうことは、アクティベーションへの移行ステップとして大変有効です。ポストビューは第4章で紹介したプレビューと似ていますが、ひとつだけ違うのは、「質問をつくる」という点です。

まず文書をざっと眺めて、全体構成を把握し、要点を理解します。次に、著者の主張が表現されたキーワードを書き出します。最後にもう一度、文書全体にざっと目を通しながら、興味を引かれる箇所を探します。

ポストビューの際、文書中に特に興味を引かれる箇所を見つけたら、質問を考えはじめます。ただし、この時点では、まだ文章を読んで答を見つけようとしてはいけません。読むことを我慢することで、好奇心が高まり、答を求める気持ちが強くなるのです。これは同時に、あなたのモチベーションを高め、脳が神経経路をつないでいくのを促進します。

では、ポストビューにはどのぐらいの時間をかければよいのでしょうか。

私は通常、五〜一五分をお勧めしています。でも、あまり硬く考えないでください。ここでの目的はあくまで、アクティベーションに備えるということです。私は通常、プレビユーが短かった場合（一〜二分）は、ポストビューに長く時間をかけます（最大一五分）。プレビューに長く時間をかけたとき（五〜八分）は、構成や要点について十分把握できており、質問をつくることだけに集中できるため、ポストビューはたいてい五分ほどで終えてしまいます。

熟成させる

フォトリーディングとポストビューを終えたら、情報をいったん意識の外へ出します。そう、そこでひとまず作業を中断するのです。理由は、脳の中で情報が熟成されるのを待つためです。

逆説的に聞こえるでしょうが、読んだことを理解するためには、それをいったん脳に引き渡さなくてはならないのです。少なくとも一〇分から二〇分待ちましょう。もし時間に余裕があるなら、一晩待つことが理想的です。

「ひとまず努力したら、しばらく休息し、熟成の時間をつくる」

これは、作家、アーティスト、ミュージシャン、科学者などがよく用いるテクニックです。

熟成期間中は、取り込んだ文書の内容は意識の外に置かれますが、脳が働いていないわけではありません。脳はいっときも休んではいません。一日二四時間ずっと働き続けています。睡眠中も、脳は夢をつくり出したり、頭を悩ませている問題への解決策を生み出したりします。現在の思考を、関連する既存知識に結びつけたりする作業を行なっているのです。

フォトリーディングした情報も、脳の中で熟成させる必要があります。情報が脳の神経ネットワークの中に組み込まれる時間を設けるのです。その後、アクティベーションが、組み込まれた情報の中から必要なものを引き出します。

あるフォトリーディングのインストラクターが、アクティベーションが思わぬところでいとも簡単に読書の目的を達成してしまった、というエピソードを語ってくれました。「娘の住む街でフォトリーディングの授業をしていたときのことです。学生のひとりが、一編の詩を読んでくれました。その詩には、〝serendipity〟（「掘り出し上手」）という単語が使われていました。私は、その単語の意味がよくわかりませんでした。そこで私は授業後、娘の家で、その単語の意味について調べたいと思いました。娘の書斎に入っていき、視線をフォトフォーカス状態にして、自分に問いかけてみました。『この部屋に、何か役立つものはあるかしら？』。すると問いかけが終わるか終わらないかのうちに、腕が自然に本棚に伸び、一冊の本をつかんだのです。その本は、五カ月前に私が娘に貸した本でした。娘に貸す前、私はその本をフォトリーディングしていました。妙な偶然だと思い、私は本を開きました。すると、たまたま開いたページの右下の隅に、ウェブスター辞典による serendipity という言葉の定義が書いてあったのです」

脳の情報処理能力の偉大さは、こんな不思議な形で発揮されることもあるのです。「掘り出し上手」の意味を説明するのには、実際に体験させる以上に有効な方法はありません。的確に指令を出せば、脳はそれにしっかりと応えてくれるのです。

脳に問いかける

二〇分～二四時間休憩を取ったら、再び自分に質問を投げかけて、文書の内容を活性化させます。たとえば、この文書の中で、重要な点は何か？　ズバリ要点は何か？　この文書中にある情報のうち私の役に立つものは何か？　次のテスト、あるいは会議、もしくはレポートの作成において、成果を上げるためには、何を知る必要があるか？

こうした質問をすることは、脳の無意識レベルの記憶システムに信号を送り、あなたが求める情報や答へアクセスしやすくします。質問を投げることで、好奇心が刺激されます。

この「脳への問いかけ」（Mind Probing）は、目的達成のための最良の手段・情報を、脳に検索させる作業です。

質問を投げるときに大切なのは、即座に答を求めない、ということです。

アクティベーションのこの段階で、何かを思い出そうとしても、フラストレーションを生むだけです。フォトリーディングを終えた段階で、取り込んだ情報をそのまま思い出そうとすると、意識は単に新しい記憶のみを探します。そして何も見つけられないと、意識は、脳の無意識レベルに存在する膨大なデータベースへのアクセスを遮断してしまうのです。

「脳への問いかけ」は、好奇心を持つことで、その回路を開いた状態に保つことができます。問いかけは、フォトリーディングによって取りこまれた情報が保管されている脳の巨大なデータベースへの回路を開いて、「理解」のプロセスをスタートさせるのです。

「脳への問いかけ」のもうひとつの有効なテクニックは、読んだ文書についてディスカッションをすることです。家族や友人に読んだ本や記事を要約して、話してみましょう。内容に興味を持てば、彼らはきっと質問をしてきます。そうした質問は、要点を明確にするのに大いに役立ちます。

内容についての質問をリストアップするとき、あるいはディスカッションするとき、あなたは能動的になっています。必要な情報を引き出すように脳に積極的に働きかける、これが、アクティベーションの始まりです。これにより、意識のすぐ下に横たわっている巨大なデータベースの検索を始めます。質問を考えるときは、その答の重要性を改めて強調するようにしてください。答に対する欲求は高ければ、高いほどよいのです。

問いかけをするときは、リラックスした集中状態に身を置くことが大切です。そして答は絶対に得られるのだという自信を持つことです。

結果は、あなたを驚かせるはずです。このように脳への問いかけを続けていると、意識と前意識のデータベースをつなぐ橋は、より強固なものになっていきます。

スーパーリーディングとディッピング

脳に質問を投げかけたあと、もう一度文書に目を通しながら、求めている答を見つけ出します。その文書から何を知りたいのか？　文書のどの部分にそれが書かれているのか？

アクティベーションの次のステップ「スーパーリーディング」では、テキストを大きなかたまりごとざっと見ていきながら、求める答が書かれた箇所を探し当てます。

最初に、目的に照らしてみて、何らかの理由で、特に興味を引かれたセクションを開き

ます。その際、あるセクションが、他のセクションよりも重要に見えることがあります。その理由は、文書に書かれている何かがきっかけとなって、「視覚上のヒント」を与えるからです。きっかけとなるのは、たとえば、章のタイトルだったり、小見出しだったりするかもしれません。

そして選んだセクションをスーパーリーディングします。そのセクションの各ページの中心を指でなぞりながら、ざーっと目を動かしていくのです。たとえば、日本語の本（タテ組み）であれば、通常、右から左に向かって文章が展開します。その場合には、選んだセクションの中央部に指を置き、右から左に動かしていきます。目は、指と同時に、文章上を追うようにします。

英語の本（ヨコ組み）であれば、上から下に向かって文章が展開します。この場合には、セクションの中央に指を置き、上から下に向かって動かし、指と同時に、目も文章上を追うようにします。指を使うのは、目の動きをスムーズにするためです。

文章の中央部に沿って目を動かしていくと、その中のある部分が、急にあなたの注意を引きます。それは「ここが重要だよ」とあなたに教える直感的なサインです。

このサインが出たら、直感に逆らわないで、その文章なり段落なりをディッピングします。つまり、その箇所の一文、もしくは二文程度を、何が書いてあるのか理解できる程度まで、さぁーっと読むのです。その箇所から必要な情報は得たと感じたら、再びスーパーリーディングに戻ります。

フォトリーディング講座では、このスーパーリーディングを説明する際、アメリカ文学の聖なる砦——つまり「コミック本」からイメージを拝借することがよくあります。

初めて地球にやってくるスーパーマンを思い浮かべてください。

一〇万マイルの彼方から眺める地球は、青い球が回転しているように見えます。あなたはその地球に向かって、まっすぐな軌道で飛んでいくスーパーマンです。

一万マイルの距離まで来ると、各大陸の輪郭が見えはじめます。またこの星の大部分が水に覆われていることにも気がつきます。さらに接近していくと、砂漠、熱帯雨林、大草原、山脈など、変化に富んだ陸の表面が見えてきます。

突然、あなたは、美しい海と砂浜を持つ、みずみずしい緑の島に目を奪われます。あなたはそこに着陸し、少しの間、島を探索し、海に潜ってみます。満足したあなたは、次に着陸する場所を求めて、再び空へ飛び立ちます。

これは、スーパーリーディングとディッピングをわかりやすく表現したイメージです。

スーパーリーディングは、文書全体を上から眺めることです。ディッピングは、その中で、直接あなたの目的を満たす箇所に着陸することなのです。

スーパーリーディングを行なうときは、あえて具体的な情報を探そうとはせず、視野を広く保ちます。視線をソフトに保っていると、目はよりスムーズにテキストの上を動くことができます。はじめのうちは、なかなか視野を大きく持つことができないかもしれませんが、視界の中にあるものをより多く認識しようと努めることで、だんだん視野は広がっていきます。

次のことを試してみてください。

この文章を読んでいるいまこの瞬間、あなたの視野の周辺にあるものに注意を向けてみてください。一時的に文章から目が離れてしまうかもしれませんが、気にしなくて結構です。視覚的な認識の範囲を広げたとたん、目の前のテキストに対する焦点がゆるみます。すると、緊張がほぐれ、あなたの注意を引く箇所に気がつきます。そこが、ディッピングを行なう場所です。

どこをディッピングすればいいのか、どうすればわかるのでしょうか。

ただ直感に従えばいいのです。

あなたの脳は、すでにフォトリーディングによって文書全体を見ているのですから、意識の境界から発せられる信号に耳を傾けるのです。

ディッピングのために着陸した場所について、いちいち理由付けをする必要はありません。それらの信号は、論理を超えたものなのです。意識の境界で探知されたその信号は、脳の無意識レベルにおけるデータベースから発信されたものです。直感に従い、それがあなたを導こうとしている先を探り当ててください。


ところで、このテクニックは、ディッピングする箇所だけでなく、日常の生活の中で何かを探す際にも応用することができます。あなた脳の中に蓄えられた膨大な知識は、さまざまな状況で随時引き出すことができるのです。

妻のリビーは、あるときガレージセールに出かけました。そこには一部屋分の古本が売りに出されていました。床から天井まで壁中が本で埋まったその部屋に入ると、彼女は視線をフォトフォーカス状態にしました。そして自分に、「ここにはポールがほしがるような古本や珍しい本があるかしら」と問いかけました。すると彼女の目は瞬間的に一冊の本をとらえました。彼女は書棚の前まで歩いていき、それを手に取りました。それはまさに私がほしいと思う本でした。彼女は内心、ほかにはもう適当な本はないとわかっていましたが、念のために、そのあと二〇分かけてすべての本のタイトルを見ていきました。しか

し、やはりほかに適当な本は一冊も見当たらなかったのです。

スーパーリーディングとディッピングを行なう場所については、ぜひ直感に従ってください。それは、ごく単純に自分の目がなんとなくとらえた箇所であるかもしれないし、手がたまたま開いたページかもしれません。注意を傾けて、送られてくる信号を見逃さないようにしましょう。

スーパーリーディングとディッピングのステップを経ることによって、あなたは次のような重要な決断を下すための、十分な情報を手にすることになります。

「この文書の要点がまとめられた文章、あるいは段落はどこにあるのか？」

「この文書の内容は、私の目的にどの程度、関連があるか？」

「この文書をもっと読み続けるべきか、それとも別の資料を当たったほうがよいか？」

ディッピングの際には、あなたも多くの人と同様、ある問題につまずくかもしれません。長年の学校教育の影響で、「すべてをディッピングしたくなる」という問題です。

これでは、あなたの目的に関係のない詳細まで読んでしまうことになります。たとえば、著者が重要な主張を行なっている箇所をディッピングするとします。これについては何も問題はありません。しかし、それに続くいくつかの段落では、余分な解説が行なわれています。この余分な文章も合わせてディッピングしてしまうと、それは時間の無駄となります。そのうち詳細の泥沼にはまり込んで、関係のない方向へ軌道を踏み外すことになってしまいます。

古い読書法が頭をもたげてくるのは、そんなときです。意識が罪悪感に苛《さいな》まれるのです。小学校の二、三年生に戻って、先生に叱られているような気分になってしまうのです。「ストップ！　文章をひとつ飛ばしましたよ。もとに戻って読み直しです。いい加減に読んではいけません。もっと、きちんと読みなさい！」

もし心の中でそのような声が聞こえたら、そんな忠告には一応感謝しつつ、きっぱりと無視しましょう。

スーパーリーディングを行なうときは、何かを飛ばしているかもしれないという心配は無用です。小学校で鍛えられたあなたの意識は、読みながら理解し、記憶し、批評することを要求します。しかし読書のエキスパートたちは、五〇年以上も前から、それが最悪の読み方であると断言しているのです。理解は段階を経て深まっていくものだということを忘れないでください。スーパーリーディングとディッピングを繰り返すごとに、あなたは一枚ずつ「未知」のベールをはがして、必要な情報をあらわにしていくのです。

自分の直感を信じ、ここだと強く感じる箇所があったら、迷わずディッピングをしてく

ださい。必要のない情報をディッピングしてしまったら、もう一度、その文書を読んでいる目的を思い返しましょう。そして、必要とする情報が含まれている箇所を探すように自分に言い聞かせ、あらためてそこをディッピングします。確固とした目的があれば、あなたの脳は自然に本来の能力を発揮して、あなたが必要とする情報へと導いてくれます。

フランク・スミスがその著書『Reading without Nonsense（ナンセンス抜きで、読書をする）』で指摘しているように、読みながら内容を記憶しようと努力することは、実は理解の妨げになるのです。詳細を忘れるのを心配することで、理解を妨げる要因となる不安が生み出されるのです。

もし不安になったら、ラッセル・ストーファーがその著書『Teaching Reading as a Thinking Process（思考プロセスとして、読書を教える）』で紹介している、次の調査結果を思い出してください。彼によると「要点にかかわる重要なことがらが書かれているのは、文書中のわずか四〜一一％にすぎない」ということです。

実際、文章が適切に書かれているかどうかを見るためのごく一般的な方法は、文書の中の単語を五つごとに四つ消し、読者たちにそれが何について書かれているか要約してもらう、というものです。もしその文書がそれなりの水準で書かれてあるものなら、ほとんどの読者はその内容を正しく推測できるそうです。

理想的なディッピングはこれだ

以下は、スーパーリーディングとディッピングを行なう際のガイドラインです。

ディッピングをするときは、一回につき、記事の場合は一〜二段落、本の場合は一〜二ページにとどめましょう。コミックの例に戻りますが、スーパーマンのあなたにとって、風景をじっくり味わったり、地元の人たちと交流するのは、後からでもできることです。

まず、最優先しなければならない目的は、地球全体を探索すること！　ひとつの島に落ち着いて、残りの日々を過ごすことではないのです。

フォトリーディング・ホール・マインド・シムテムでは、スーパーリーディングとディッピングを繰り返すたびに、あなたの文書に対する理解が深まっていくようになっています。質問を投げかけ、スーパーリーディングとディッピングを通して答を見つけていくことで、あなたは著者と非常に密度の濃い会話を交わしているのです。これはフォトリーディング・システムの中でも、もっとも楽しいステップのひとつといえるでしょう。

あなたはフォトリーダーとして、問題を解決し、より良い人生を送るための方法を探す旅に出ているのです。それは、どんなヒーローのそれにも劣らないドラマチックな探求の旅です。

スーパーリーディングとディッピングを習慣化すると、文書以外にも生活のさまざまな場面で応用できるようになります。

ある宝石商の男性は、在庫の補充のため毎年、展示会に参加していました。ある年、その仕事を効率化するために、フォトリーディング・ホール・マインド・システムを利用することにしました。

彼は展示品全体が見渡せるよう、まず会場の隅に立ちました。そして視線をフォトフォーカス状態にしたうえで、通路をひとつひとつすばやく歩きながら、会場全体を「フォトリーディング」していったのです。続いて彼は、自分の店の在庫に加えたいと思っていたあるタイプの宝石を頭に思い浮かべ、各通路を一回ずつ歩きながら「スーパーリーディング」を始めました。そして、特定のブースに対して直感的なひらめきを感じたら、その都度彼はそれに従い、その場所を「ディッピング」したのです。

このやり方では、彼は二時間で必要なものをすべて見つけることができました。展示品をひとつひとつ丹念に見ていた前年までは、同じ結果を得るのに通常五日間かかっていたそうです。

フォトリーディング・ホール・マインド・システムを生活の中に習慣づけると、私たちは、この宝石商の男性がやったようなことを日々自然に行なうようになります。そうなるとフォトリーディングはもはや、万能なツールです。単に本から情報を集めるためのテクニックではなくなるのです。

著者の思考の流れを読む

スーパーリーディングとディッピングをより効果的に行なうには、文書中、重要な部分を選んでから行なうようにします。通常、私たちは、中学校を終えるころまでには、重要なことがらが文書のどの辺りに書かれているかについてかなり予測できるようになっています。情報を把握するためのコツを十分つかんでいるのです。

たとえば、トピックセンテンス（主題文）を見つければ、その文章は、段落のその他の部分よりも、内容を把握するための情報を多く含んでいます。また五段落程度からなる小論文では、最初と最後の段落により多くの情報を見つけることができます。

本や記事のアクティベーションを行なうときは、より効率がいい情報の探し方をしましょう。

まず文書の構成について考えます。著者の議論の組み立て方、つまり著作を行なう際の設計図を把握するのです。それからその設計スタイルに合わせて、スーパーリーディングとディッピングを行なっていきます。

つまり、こういうことです。あなたは文書の構成を見て、著者はまず冒頭で問題を明確化し、文書の後の方でその解決策を提示するようだと判断します。問題の解決策を知りたければ、文書構造がわかっているので、必要でない部分は飛ばして、一気にディッピングすべき箇所へ向かい、すみやかに目的を達成することができるのです。

私たちはこれを、「著者の思考の列車をたどる」と表現しています。フォトリーディング講座では、次のような方法で説明しています。

●著者が提示する問題が列車を引っぱる動力となる。
●問題の原因を探る議論は、主要な「貨物」に当たる。この貨物は、著者が読者に売り込もうとしているアイデアや提案が土台となり、キーワードによって構成されている。
●最後に、結論として問題の解決策が提示される。

思考の列車は、情報提示の形態のひとつで、このほかにもさまざまな形態があります。文書の構造を知ることで、どの部分をスーパーリーディング、ディッピングすればよいかがわかり、すばやく必要な情報を得ることができるのです。

スーパーリーディングとディッピングに関して、もうひとつ大切なポイントがあります。これらの手法は従来の速読法を思わせるところがあるかもしれませんが、実際はまったく異なります。スーパーリーディングとディッピングは、フォトリーディングのあとに行なわれます。つまり、文書全体を脳に写し取り、それを意識下の記憶システムにダウンロードしたあとに、行なわれるものなのです。スーパーリーディングとディッピングは、脳の中に蓄積された巨大なデータベースへ意識的につながり、自分にとって重要な情報を意識上で認識するための作業なのです。

さらに、ここでの目的は、文書を暗記すること、つまり内容のすべてを意識上で認識することではありません。スーパーリーディングとディッピングは、文書の構成を把握し、必要な情報を抜き出し、内容を整理し、頭の中で要約することを目的としています。その結果として、文書に対する理解と記憶力が向上するのです。

文書の上を軽やかに飛び歩く

ものごとを分析することが好きなフォトリーダーにとっては、スーパーリーディングとディッピングの組み合わせよりも、次のテクニックを用いた方がうまくいくかもしれません。J・マイケル・ベネット博士が考案した「スキタリング」（あめんぼのダンス）というテクニックです。

この方法を使えば、文書にすばやく目を走らせるという要素はそのままで、分析的に考える人でも、不安を感じずに読むことができます。ベネット博士は、自習用教材『Four Powers for Greatnes（偉大な四つの力を発揮する方法）』の中で、スキタリングを「速読法より優れた手法」だとして紹介しています。アクティベーションのテクニックとして、スキタリングは、スーパーリーディングとディッピングに代わる、もうひとつの優れた方法でしょう。

スキタリングは、教科書や情報中心の長い文書に対して特に効果的で、短時間で高い理解力を達成できます。スキタリングは、文書全体、あるいはひとつのセクション全部に目を通すものです。新聞や報告書、ホームページ上の長い文書などにも適しています。

スキタリングでは、すばやく不規則に目を動かす作業をします。その動作が「スキタリング」という名称のもととなっています。「スキタリング」とは、池の水面をダンスするように軽やかに動き回るあめんぼの動きを指すものです。あめんぼが水面をポーン、ポーンと飛ぶように、目を文章上に滑らすと、脳は、その段落の主題にかかわるすべての言葉を見ることができます。ひとつの文書内で真に重要な部分は全体の四～一一%しかありません。すべての文書上をスキタリングすることで、脳は重要な言葉を拾い、それ以外の言葉を安心して飛ばすことができるのです。

●を読む

以下にスキタリングの各ステップをご紹介しましょう。

●リーディングに最も適した状態、「リラックスした集中状態」に入る。
●目的を再確認する。
●文書の題名、副題、（あれば）序文を読む。
●その文書の最初の段落をいくつか読む。
●スキタリングを開始する段落の最初の文章を読む。段落の最初の文章は、その段落の主題を伝える文章（トピックセンテンス）であることが多い。
●続いて、その段落の最初と最後の文章を除くすべての言葉にすばやく目を走らせ、最初の文章で示された主題に関連すると思われる言葉を拾っていく。

ベネット博士は、「主題を補強する言葉をスキタリングする」という表現を使っています。目の動きは右から左、あるいは左から右へジグザグに行ってもよいし、時計回り、あるいは反時計回りに円を描いても結構です。もしくは中心から端へ、端から中心へと動いてもかまいません。決められたパターンはないので、自分に合った形を見つけましょう。すべてのパターンを試してみて、いちばんやりやすい方法を採用してください。このようにランダムに目を動かすことは、主題を補強する言葉を見つけるうえで、非常に有効です。

●段落の意味がはっきりしなかった場合は、最後の文章を読む。続く各段落も、最後の数段落を残すところまで、同じように読んでいく。
●最後の数段落をすべて読む。
●要約がある場合には、その要約文を読む。
●内容を振り返り、考えをめぐらす。
●その文書について自分の言葉で簡単なマインド・マップをつくる。

マインド・マップをつくる

大学院時代のノートが詰め込まれた箱を開けてみると、その中に二種類のノートを見つけました。二つのノートは、それぞれまったく見た目が異なります。

ひとつは、教授が言ったことをすべて速記した、延々と続く意味不明の走り書き。私は、テスト前に、そのノートを一生懸命理解しようと努力しました。いま考えても、ぞっとする作業です。

　もうひとつは、「マインド・マップ」と呼ばれる、カラフルで非常に視覚的な図式のノートでした。私は、マインド・マップをつくって授業の復習をすることがいかに楽しかったかを思い出しました。そして、それを見ているだけで、習ったことの詳細が次々と頭によみがえってきました。「マインド・マッピング」と呼ばれるテクニックを学んだ後、私の授業の受け方は、根本から変わってしまったのです。

　マインド・マッピングは、短時間でできる、非常に効果的なテクニックです。加えて、それは長期にわたっての記憶に役立ちます。マインド・マッピングは、スーパーリーディングとディッピングのあと、活性化した情報をまとめるのに大変便利です。

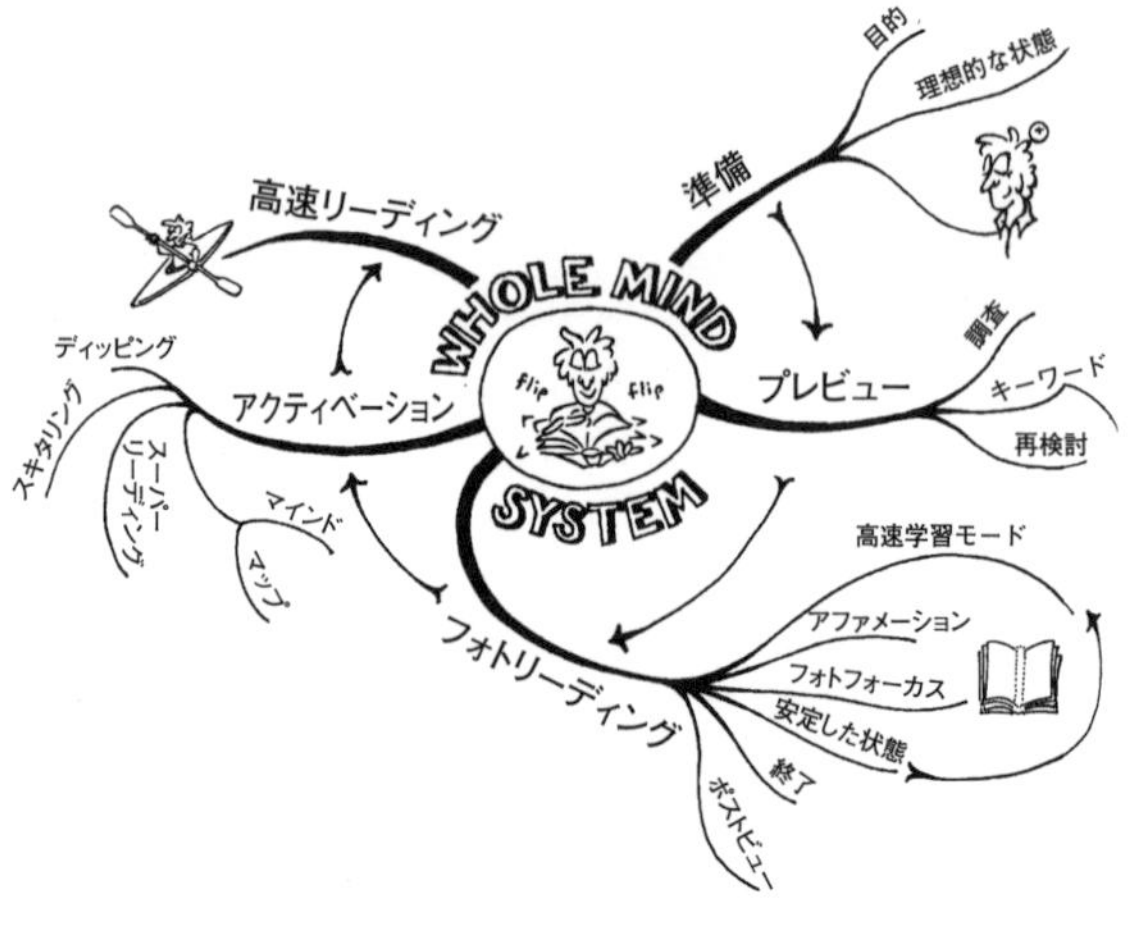

●を読む

前ページの図は、フォトリーディング・ホール・マインド・システムの五つのステップをまとめたマインド・マップです。

おそらくあなたは、このマインド・マップを見て、このテクニックの基本的なルールをある程度把握できたでしょう。

●ページの中央に中心となる概念を置く。

●中央から放射状に広がる線に、補助概念を書く。

●カギとなる用語のみを使って、それぞれの概念を三語以内で表現する。その多くはプレビューでリストアップした「キーワード」と重複する言葉である。

●適当だと思われるところに随時、イラスト、イメージ、シンボルなどのヴィジュアル的要素を入れる。

●色をつける。たとえば前ページのマインド・マップの場合は、ステップ1に属する用語を赤、ステップ2は青というように、各ステップをそれぞれ別の色で書き分ける。

マインド・マッピングについて詳しく説明した二冊の素晴しい本をここでご紹介しておきましょう。トニー・ブザンの『The Mind Map Book』（『人生に奇跡を起こすノート術』きこ書房）とジョイス・ワイコフの『Mind Mapping』です。このテクニックの詳細は、以上の二冊を参考にしていただくとよくわかります。

マインド・マッピングには、通常のA４サイズのノートよりも大きなノートの方が使いやすいでしょう。もしA４サイズのノートを使うのなら、横にして使うことをお勧めします。多くの人が、そのほうが余裕を持って図を描くことができると感じるようです。

マインド・マップは、作成する人によってそれぞれ異なります。同じ文書に対してつくられたマップでも、あなたのマインド・マップと、別の人のものとでは、違うものになります。それでいいのです。あなたのマインド・マップは、あなた自身の経験を反映しているのがベストです。記憶を支えるイメージや関連知識は、あなた独自のものなのです。最初はうまく描けないかもしれませんが、アクティベーションを練習するつもりで、気楽に楽しんでください。

マインド・マッピングは、脳の働きをそのまま紙の上に映し出すテクニックです。つまり、概念同士を、直線的な論理ではなく、関連事項の枝で結びつけるのです。マインド・マップが、ほんのわずかな時間で、自然にできるようになるのは、きっと脳の働きに近いためなのでしょう。

次のページの図は、フォトリーディング・ホール・マインド・システムを別の形でマインド・マッピングしたものです。

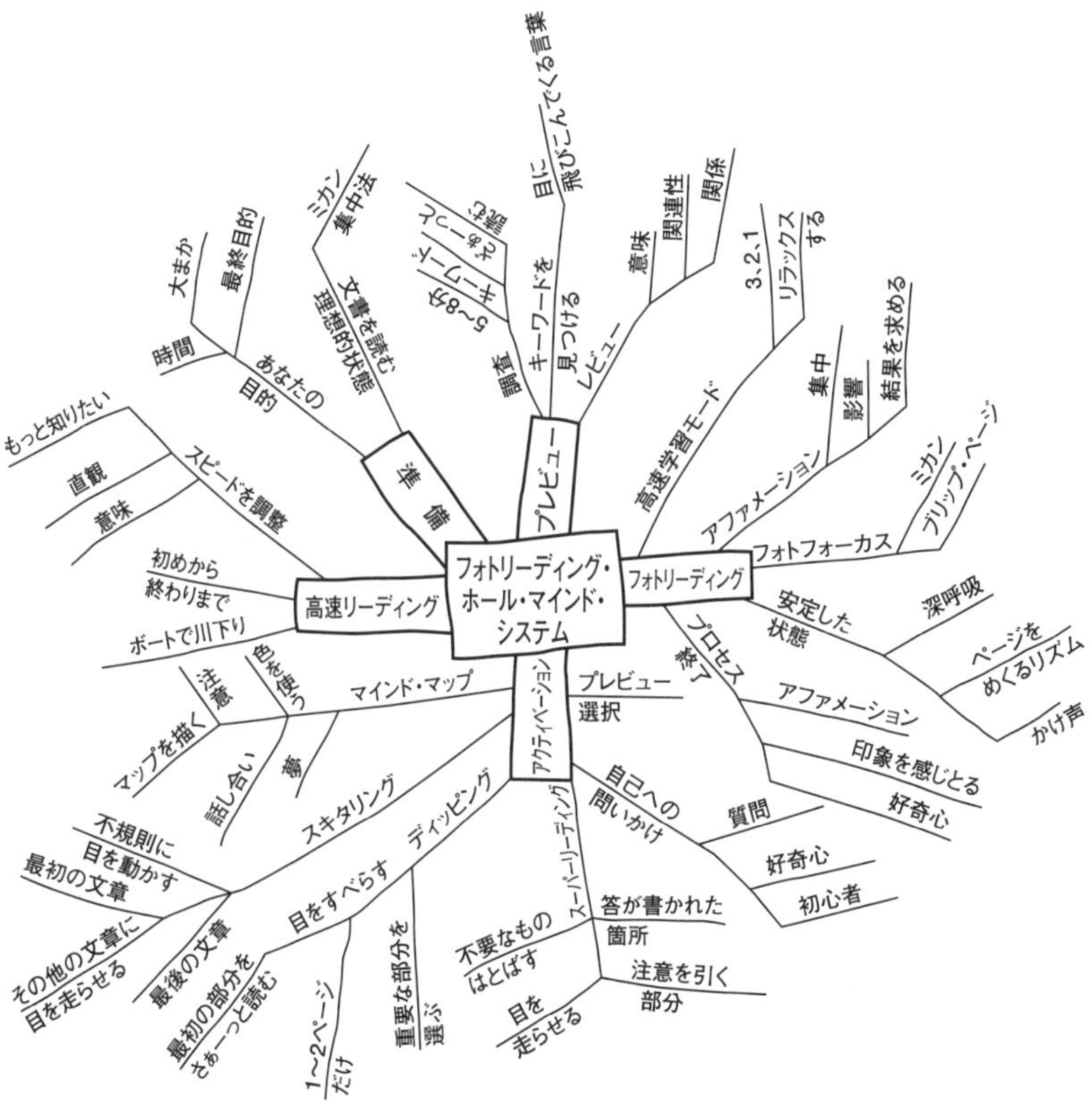
フォトリーディング・ホール・マインド・システム
準備
あなたの目的
時間
大まか
最終目的
文書を読む理想的状態
ミカン集中法
プレビュー
調査
5～8分
キーワード
さあ、一一ページ
キーワードを見つける
目に飛びこんでくる言葉
レビュー
意味
関連性
関係
フォトリーディング
高速学習モード
3,2,1
リラックスする
アファメーション
集中
影響
結果を求める
フォトフォーカス
ミカン
ブリップ・ページ
安定した状態
深呼吸
ページをめくるリズム
かけ声
プロセス
終了
アファメーション
印象を感じとる
好奇心
アクティベーション
プレビュー
選択
自己への問いかけ
質問
好奇心
初心者
スーパーリーディング
答が書かれた箇所
注意を引く部分
不要なものはとばす
目を走らせる
ディッピング
目をすべらす
重要な部分を選ぶ
1～2ページだけ
スキタリング
不規則に目を動かす
最初の文章
その他の文章に目を走らせる
最後の文章
最初の部分をさあーっと読む
マインド・マップ
マップを描く
注意
色を使う
話し合い
夢
高速リーディング
スピードを調整
もっと知りたい
直観
意味
初めから終わりまで
ボートで川下り

新しい記憶の形

本書の目的は、あなたの読書に対するパラダイムを完全に転換させることです。そのために、「記憶の役割」についてもう一度考えてみましょう。

私は、ノーベル賞を受賞した神経学者であり、『The Remembered Present』『Bright Air, Brilliant Fire』の著者である、ジェラルド・エデルマン医学博士の仕事に常に深い感銘を受けてきました。フォトリーディングした文書をアクティベーションする際、頭の中でどんなことが起こっているのかを説明するに当たって、エデルマン博士の理論以上に説得力のある説明を、私はほかに知りません。

エデルマン博士によると、記憶は脳の中のある一定の場所に保管されているのではなく、私たちがアクセスするたびに、そのつど再生されるのです。

何かを思い出そうとするとき、私たちは、重要な手がかりとなるものや、関連する情報などを再入力して、思い出したいことについてのコンテクストを提供し、過去の経験によって敷かれた神経の「経路」をたどっていきます。必要なだけの手がかりが入力され、正しい神経経路が刺激されると、私たちが「思い出そう」としている概念やイメージが、

「思い出される」のではなく、その場で「再生成」されるのです。

この理論をフォトリーディングとアクティベーションに当てはめてみると、その素晴らしい成果の理由がわかってきます。私たちがフォトリーディングを行なうとき、脳は認知的にではなく、生理的に文字情報を処理します。脳と情報とのこの物理的な接触は、脳内の神経ネットワークを形成し、それが後の意識上でのアクセスを可能にするのです。

結果的に、スピードも理解度も格段に上がります。あなたは、もっとも重要な情報にほぼ瞬間的にアクセスできるようになります。読みながら意味を理解しようとしなくてよいため、必要な知識を得るために何時間も一冊の本にかじりつく必要はなくなるのです。

これはちょうど、列車を走らせるために、先に線路を敷いておくのと似ています。フォトリーディングで、私たちは線路を敷きます。その後、アクティベーションの段階でスーパーリーディングとディッピングを通して情報を再入力すると、意識が完全なる理解を目指してその線路をたどっていくのです。

エデルマンの記憶理論をわずかな文字数で十分に説明することは不可能ですが、重要なのは、こうして私が説明するよりも、あなた自身がそれを体験することです。脳への問いかけ、スーパーリーディング、ディッピング、そしてマインド・マッピング、これら一連のアクティベーション・テクニックはすべて、それを体験するための手段となるのです。

●を読む

●を読む

この章で学んだことを復習してみましょう。

●アクティベーションには、自然発生的なアクティベーションと意図的なアクティベーションの二種類があり、本書では後者の方を学ぶ。

●アクティベーションには、明確な目的が不可欠である。

●アクティベーションの最初のステップ、「脳への問いかけ」は、自分が知りたいことについて具体的な質問を考えることである。フォトリーディングの直後に五〜一〇分間でざっと文書を見直しながら、質問事項を挙げていく。

●フォトリーディングのあと、アクティベーションを始めるまで、最低二〇分、理想的には二四時間、時間をとるのが望ましい。

●スーパーリーディングとディッピングは、興味を引かれたセクションにもう一度すばやく目を通し、その中で特に質問の答となりそうな文章を選んで読んでいく。

●著者の文書の組み立て方、つまり文書構成を把握することは、スーパーリーディングとディッピングの効率を上げる。

●マインド・マッピングは非常に視覚的で空間的なノートの取り方である。脳全体を使うため、文書内容の活性化に非常に効果的である。

●アクティベーションは、すでに取り込まれている情報に対し手がかりを与えることによって、脳を刺激する。その結果、意識上で必要な情報とつながることができ、リーディングの目的が達成される。

次の章では、フォトリーディング・ホール・マインド・システムの最終ステップ、高速リーディングを学びます。

フォトリーディング　驚くべき成功事例

メキシコで開催された最初のフォトリーディング講座に、13歳の少年が参加した。彼は生まれながら片方の目にしか視力がなかったが、熱心にフォトリーディングのスキルを学び、積極的に活用した。コースを修了して1カ月が過ぎたころ、学校の先生が彼にたずねた。「フォトリーディングは本当に役に立ってる？」それに対する彼の答は、すでに何度もフォトリーディングした辞書を彼女に手渡すことだった。「何でもいいから単語を言ってみてください。僕がどのページのどこに載っているかを言いますから」。彼は10個の単語のうち9個を正確に言い当てた。先生は目を見張って、「なるほど、たしかに役に立っているようね！」と言ったそうだ。

ある大規模な電力開発施設で働く電気技師は、ほとんど経験のない分野についてのミーティングで、積極的に発言している自分に気づき、驚いた。いわば、彼が自らその会議をリードしていたのである。オフィスに戻った彼は、どうして突然、そんな専門知識が身についたのだろうと考えた。そのとき、本棚にある業界誌の束が目に止まった。彼は最近、それらをフォトリーディングしていたのである。その中の最新号がまさに、ミーティングの議題となった分野についての詳しい分析を掲載していたのだった。

ある郵便局員は、郵便番号をコンピュータに入力する作業を加速的学習状態に入って行ったところ、よりリラックスしてその作業に取り組むことができ、間違いも通常より少なかったそうである。

自家醸造をしている男性が、ビール造りについての新しい本をフォトリーディングした。その夜、彼は夢の中で新しいレシピを思いついた。実際に試してみたところ、それはいままでで最高の出来となった。

第7章　ステップ5——高速リーディング

フォトリーディング講座では、準備、プレビュー、フォトリーディング、スーパーリーディング、そしてディッピングが終わった段階で、参加者に次の質問をしています。「この本から、さらに何かを得たいと思う人はどれくらいいますか?」それに対して、普通は四割の人が手を挙げます。そこでさらに質問します。「具体的に何を得たいのですか?」

この質問に対し、数人の人ははっきりと答えることができます。具体的に、本のどの部分についてもっと詳しく知りたいのか、しっかりわかっているのです。このように知りたい情報を具体的に把握している人にとっての次のステップは、さらなるスーパーリーディングとディッピングです。

その他の人たちは、たいてい肩をすくめて言います。

「う〜ん、なんとなくもっと知りたいような気がするんだけど……」

この漠然とした「もっと」は、このシステムの最後のステップ、「高速リーディング」へ進め、という合図です。高速リーディングは、文章からもっと何かを得たいけれど、ピンポイントで攻めていくスーパーリーディングとディッピングではうまくいかない、というときに選ぶテクニックです。このテクニックはまた、楽しみのための読書において、著者がつくり出す雰囲気にどっぷりと浸りたいというときにも適しています。

高速リーディングは、従来のリーディングのスピードを速めたものに近いでしょう。でも、二つの点で大きく異なります。ひとつは、高速リーディングは、フォトリーディング・ホール・マインド・システムのほかのすべてのステップを経たあとに行なうということです。もうひとつは、高速リーディングは、自由にスピードを調整できるテクニックだということです。

高速リーディングでは、自分が適当だと思うスピードで、初めから終わりまで止まらずにいっきに読み進みます。読むスピードは、文章の複雑さや重要性に合わせて調整します。

●を読む

次のような場合は、スピードを上げます。

●それまでのステップのいずれかで、その段落あるいはページを読んでいる場合。そこはすばやく目を通すだけでよい。

●書かれている内容が簡単なものであったり、あるいは情報として余分なものであったりする場合。そこはスーパーリーディングのスピードでさっと読む。

●読んでいるセクションが自分の目的にとって重要ではないと思えた場合。そこはフォトリーディングのスピードで読んでいく。ただし、有益な情報があった場合はいつでも目を止められるよう、直観のアンテナは立てたままで。

次のような場合は、スピードを落とします。

●いままで知らない、なじみのない情報が書かれている場合。

●内容が複雑な場合。

●自分の目的にとって非常に重要な情報で、より詳しく知りたいと思った場合。

結果として、あなたはその文書をさまざまなスピードで読んでいくことになります。重要性や複雑さ、予備知識などに応じて、ときには速く、ときにはゆっくりと、読んでいくのです。

高速リーディングでもっとも重要なポイントは、止まらずにひたすら読み進むということです。わからないからといって、そこで止まって考え込んではいけません。理解できない箇所で立ち止まるというのは、よくあることです。でもそれは古い読書のやり方です。ここでは、かまわずにどんどん読み進んでください。

わからないところで止まって、そこで文章と格闘しはじめてしまうと、そのまま軌道を外れて、いつまでも読み終えることができなくなります。読み続けていけば、間もなく「ああ、これならよくわかる」という場所が出てきて、その中にさっきつまずいた箇所を理解する手がかりを発見するものです。リラックスした集中状態で高速リーディングを進めていけば、ほしい情報、つまり目的に役立つ情報がどんどん見つかっていくはずです。

高速リーディングか、スーパーリーディングか?

よく「高速リーディングはスーパーリーディングとどう違うのか」という質問を受けます。一見、この二つのステップはとても似ているように見えるかもしれません。しかし、高速リーディングは、重要な章、あるいは本全体をはじめからから終わりまでいっきに読み通すものです。

一方、アクティベーションの一ステップであるスーパーリーディングは、文書中で興味を引かれるセクションを探し出し、そのセクションの各ページの中央部を右から左（ヨコ組みの本であれば、上から下）へすばやく見ていくという作業です。

前述のように、高速リーディングでは、従来の読書のレベルまでスピードを落とすこともあります。たとえば、専門的な図解や数式を理解したり、詩を味わったりするときなどは、速度を落とす場合があるでしょう。対照的に、スーパーリーディングは、速いスピードを維持しつつ、必要なところで随時ディッピングするもので、頭から順番にページを追っていく必要はないのです。

スーパーリーディングとディッピングは、宇宙から地球を眺めているスーパーマンが、ある場所に狙いを定めて着陸する、というイメージでたとえることができました。高速リーディングのイメージとしては「ボートに乗って川下りをする」というのが適当でしょう。激しい急流を傾きながら下っていくこともあれば、静かな水面をゆったりと漕いでいくこともあります。つまり、大切な点は、常に集中しながら文章のタイプに合わせて、スピードを変化させていくことです。

高速リーディングは、必ず必要なものというわけではありません。

プレビュー、フォトリーディング、そしてアクティベーションで、読書のすべての目的が達成されてしまうこともあります。たとえば、報告書やマニュアルなどビジネス関連の文書を読む場合は、高速リーディングの前の段階で、たいてい目的が達成されてしまうようです。

一方、教科書を読む場合や、楽しみのための読書などでは、高速リーディングがよく用いられます。高速リーディングでは、内容を意識上で確認できるからです。

また小説を読む場合、多くの人が、プレビュー、フォトリーディングのあと、アクティベーションのステップを飛ばして、直接、高速リーディングを行なっています。

フォトリーディング・ホール・マインド・システムが提供する、数々の、素晴らしい読書ツールをぜひ楽しんでください。あなたが読書をしたり、文書を処理したりする際に、ベストな方法が必ず見つかるでしょう。

システムはこうして機能する

高速リーディングは、読み手に安心感をもたらします。その理由は、文書を意識上で完全に理解できるようになるからです。前章で紹介したアクティベーションと同様、高

速リーディングも、そのほとんどが意識上で行なわれる作業なのです。

フォトリーディング・ホール・マインド・システムを使って、読書の目的を達成したとき、あなたはこのシステムの中でどのステップが最終的な成果にもっとも大きな影響を与えたのか、興味を持つかもしれません。理解したことを意識上できちんと自覚するためには、意識の認識を伴うステップがもっとも重要だと考えるのは自然なことです。また、無意識で行なうフォトリーディングが本当に効果のある作業なのかどうか疑わしく感じられたとしても、不思議ではありません。

しかし、このシステムが機能するのは、それが脳全体をバランスよく使うことができるからです。意識と無意識の両方が関わるからこそ成り立っているのです。意識上で確認できる効果は、ぜひ満喫してください。そして同時に、無意識の部分が私たちの生活にもたらす価値についても、知っておくことが大切です。

フォトリーディングの驚くべき効能は、しばしば「自然発生的なアクティベーション」の形で表われます。セミナー卒業生たちの「自然発生的アクティベーション」のエピソードは、フォトリーディングのビギナーたちにとって、大きな励みとなるものです。彼らの体験には、共通するひとつの特徴があります。

彼らの話は、だいたいこんな感じです。

「そのとき私は、ある情報を探していたのです。すると突然、頭に浮かんだのです。別に思い出そうとしたわけではなく、勝手に浮かんだのです。本当に、まるで思いつきのように、その情報がどこからともなく、ふっと現われたのです」

自然発生的アクティベーションがもたらす「あ、そうか！」の体験は、実に説得力のある証拠となります。多くの人が、そうした体験を通して、フォトリーディングのステップが実際に機能していることを確信するのです。

問題は、どうやってその自然発生的なアクティベーションを起こせばよいか、です。残念ながら、これは、どうやっても起こすことはできません。あくまで、自然でなければならないわけですから。

だからといって、ただ漫然と自然発生的アクティベーションが起こるのを待っている必要はありません。システムを試す方法はほかにもあります。フォトリーディングの研究過程で得た、システムが機能していることを示す揺るぎない証拠は、自然発生的なアクティベーションによるものもありますが、ほとんどの場合が意図的なアクティベーションの中で確認されたものでした。

大学院での最初の年には、私はまだフォトリーディング・ホール・マインド・システム

●を読む

を考案していませんでした。二年目以降の一八カ月間は、私はあらゆる読書にフォトリーディングを活用しました。そしてその結果の差は、驚くほど大きなものでした。私はすべての科目でトップに立ち続け、読書の課題もリサーチ論文も楽々とこなすことができたのです。勉強に対するプレッシャーはすっかり消え失せました。

そのころから私は、学生たちこそ、フォトリーディングの成果を立証する最高の証拠であると実感していました。彼らは、このシステムを使って勉強した成果を客観的にも主観的にも常にテストできる環境にあるわけです。

もしあなたが学生でなければ、自分自身でテストする機会を設定してみてはどうでしょうか。私はあなたに、フォトリーディングの成果を心から確信できる体験をしてもらいたいのです。以下に、その方法をいくつかご紹介しましょう。

●一週間、文書をすべてフォトリーディングで読み、意識上での理解が必要なものはアクティベーションする。その次の週は、従来の読み方に戻る。そして、どちらの週がより生産的であったか比べてみる。

●友人宅を訪問した際、友人がすでに読み終えたという本があったら、「読む価値のある本だったか？」「読むのにどれぐらいかかったか？」を聞いてみる。読む価値のありそうな本だったら、それを借り、フォトリーディング・ホール・マインド・システムの五つのステップを使って、一〇分の一（自信がなければ三分の一）の時間で読む。そのあと、それが自分にとってのテストであることは伏せたまま、友人とその本について話し合う。あとで、自分がその本について理解していたかどうかを、友人に判定してもらう。

●脳がフォトリーディングに対してどのように反応するかに注意してみる。まず濃厚な恋愛ものやサスペンス・スリラーなどの特にエモーショナルな内容の小説を選び、楽な服装で、じゃまの入らない静かな部屋へ行く。部屋の温度を適温に保ち、周囲のものがあまり目に入らないよう、本だけに明りを当てる。

一分ほどかけて、心の中に静かなシーンをつくりあげる。そして自分の中に浮かんだイメージやフィーリングをしっかりと確認する。それからフォトリーディングを開始し、何らかの思考（映像、音、フィーリングなど）が意識に入ってくるかどうか注意する。もし何らかのイメージや強い感覚が認識されたら、数ページ戻って本文を読み、自分の内部の体験と本の内容がどれだけ一致するか比べてみる。

アファメーションを唱えてフォトリーディングを終了したら、再び心の中の静かなシーンに戻って、周りを見回してみる。自分の中のイメージや音、あるいは心の感じ方に何か変化は起こっているか。二分ほどかけて、心の中に見えるものを紙に描くか、あるいは感じていることを言葉にしてみる。そして本を読み返し、それがどのぐらい本の内容と一致しているかを確かめる。さらに理想的なのは、本の内容を知っている人に自分が体験したことを話し、その人に本の内容を教えてもらう方法である。

●会議の前に、議題に関連する本を五冊、プレビュー、フォトリーディングする。会議のあとで、普段の会議における自分の理解力・発言力と比較して、どう違ったかを検討してみる。

以上はすべて、フォトリーディング・ホール・マインド・システムの効果が確かめられる、簡単でリスクの少ないテストです。ぜひ、ゲーム感覚で試してみて、自分自身が納得できる証拠をつかんでください。

さて、ここで終わりではありません。ここまでに紹介してきたステップをさらに発展させる方法がたくさんあります。次からの章では、フォトリーディングのさまざまな応用法を紹介します。日々接するあらゆる文書に、フォトリーディングを活用する方法を学ぶことにしましょう。

五日間テストをやってみる

次に紹介するのは、フォトリーディングの効果を証明すると同時に、効率的にアクティベーションをできるようにするための、五日間のトレーニングプログラムです。毎日、三〇分弱の時間をあてるだけで、フォトリーディングした本から必要な情報を確実に得るための訓練ができます。たしかにフォトリーディングしているという証拠がほしいとき、以下のトレーニングを実行してみましょう。

一日目　読みたい本を一冊選び、準備したあと、すぐにフォトリーディングする。

二日目　準備したあと、二分以内でプレビューをし、フォトリーディングを行なう。キーワードと質問事項を書き出しながら、一五～二〇分でポストビューをする。

三日目　準備のあと、フォトリーディングし、続いてスーパーリーディングとディッピングを行なう。三〇分以内にすべての作業を終えるようにする。理解しているかどうかは気にしないこと。最後にキーワードに目を通し、それらがどのくらい意味があるかを見る。

四日目　準備のあと、フォトリーディングをする。残った時間を、時間内に終わるスピードで、スーパーリーディングとディッピング、あるいは本全体のスキタリングに使う。再びキーワードに目を通したあと、脳への問いかけを行ないながら追加の質問をつくってみる。

五日目　準備のあと、フォトリーディングする。目次を見て、もっと知りたいと思うセクションに行く。スーパーリーディングとディッピング、あるいはスキタリングを行ない、質問に対する答を見つけていく。具体的な質問はないけれど漠然ともっと知りたいと思う場合は、高速リーディングを行なう。

最後の一〇分は、マインド・マッピングにあてる。あまり細かく書き込まず、シンプルにまとめる。本のすべての内容をマインド・マッピングするのではなく、その本を選んだそもそもの目的に関連したマインド・マップを作成する。

ここまでで、あなたは二時間強の時間を費やしたことになります。多くの人はこの時点で、本の内容をほぼ把握し終えます。ほとんどの人が、その本に関して十分な知識を得たと感じるようです。目的は、本の内容を一〇〇％理解することではありません。そんなことは、従来の読書法でも不可能なことです。

ここであと二回「四日目」を繰り返すこともできますが、たいていの人は、その本について必要なことは全部知ったので、その必要はないと感じるようです。

数日後にマインド・マップを見直して、自分がその本の内容をどれぐらい理解しているかを確かめるのは、楽しいものです。

このテストでは、全体を通して、従来の読書法で要する約三分の一の時間で読み終えることが重要です

フォトリーディング　驚くべき成功事例

あるフォトリーダーが、ラジオ番組でフォトリーディングについてのインタビューを受けた。彼女はインタビュアーである作家の著作を、その場でフォトリーディングした。そのあと作家が彼女にその本について具体的な質問をしたところ、彼女は詳細にわたって正確に回答することができた。

別のラジオ番組では、質問に対するフォトリーダーの正確な答に驚いたホストが、こう叫んだ。「いまのは、たまたま開いた97ページについての質問だったんですが、あなたはこのページをほとんどそのまま暗唱していましたよ。あなたが言ったのは、まさにここに書かれているとおりのことです」。ホストは番組の後半で、「まるで著者とお話ししているかのようです」とも述べていた。

神経障害を煩うある30代の男性は、何か治療の手がかりが見つけられないかと、大学の医学図書館で関係書籍をフォトリーディングした。その後、昼寝をしているとき、彼は自分の病気について奇妙な夢を見た。さっそく主治医に電話をして夢の内容を話してみたところ、主治医は、「それについては考えなかった。同僚の意見を聞いてみましょう」と言ったそうである。

アメリカ空軍でシステム・マネジャーを務めるある男性は、フォトリーディングを使って、コンピュータ情報システム管理学の学位を取得した。彼は、人文科学と社会学と宗教学において、合計13単位分に相当する試験を、一度も授業に出ることなく、一週間のうちにすべて受けた。これらの試験に合格することが卒業の条件となるため、彼のモチベーションは高かった。彼はそれぞれの科目について、試験の二日前に、6冊ずつフォトリーディングした。その結果、彼はすべての試験に合格。15単位を獲得しただけでなく、平均でB＋の成績を収めた。これは、ずっと授業に出ていた学生たちの平均成績を上回るものだった。彼の次の目標は、フォトリーディングを使って、将校の地位を獲得することである。

大学四年生のある男性は、卒業試験の準備をフォトリーディングで行った。就職活動で忙しかった彼は、試験の直前にまとめて勉強するつもりで、日頃の勉強は諦めていた。ところが試験の前日、彼はパニック状態で、ラーニング・ストラテジーズ・コーポレーションのフォトリーディング・コーチのところに電話をかけてきた。コーチとの会話で落ち着いた彼は、電話を切ったあと、リラックスした集中状態に入り、教材をフォトリーディングした。そのあと彼は夕食を取り、軽い運動をし、すっかりリラックスして床に着いた。翌日、彼は自信を持って試験を受け、みごと合格した。フォトリーディングによって、彼は落ち着きを取り戻し、試験を受ける心理的な準備を整えることができたのである。

工業短期大学の教育指導チームに対する周辺機器についての説明会に先立って、インストラクターは関係書籍を10冊フォトリーディングし、さらにシントピック・リーディングのテクニックを使ってアクティベーションを行なった。プレゼンテーションは大成功し、教育指導チームは、その分野のエキスパートとして、彼女に再び説明会での発表を依頼した。

それまでごく平凡な成績だった学生が、文学の試験の前に小説をフォトリーディングしたところ、満点を取った。

第3部　スキルを活用し、マスターしよう

第8章　フォトリーディング・ホール・マインド・システムを生活の一部に

これまで学んできたシステムの各ステップを、本書を使って試してみましょう。
次の手順に従って、実践してみましょう。

●を読む

●この本を読む目的をあらためて明確に示したうえで、「理想的な読書状態」に入る。
●キーワードをチェックしながら、五分間でプレビューをする。
●第5章の手順に従って、フォトリーディングする。一秒につき一ページのスピードでページをめくっていき、三分以内で本書全体のフォトリーディングを終える。終わったら、終了のアファメーションを行ない、しばらく休憩する。
●いったんその場を離れて気分転換してから、アクティベーションを始める。
●アクティベーションを始める。まず、本に目を通しながら「脳への問いかけ」を行なって質問をつくる。約五分でこのステップを終了する。

●スーパーリーディングとディッピング（もしくはスキタリング）で、さらにアクティベーションを行なう。この章以降を集中的にアクティベーションしよう。二〇分以内でこのステップを終了する。

●このアクティベーションで得たすべての情報を、一枚のマインド・マップにまとめる。

●この優れた文書の処理方法を、日々の生活の中で活用していくことを決断する。これであなたは、自分の読書スタイルをこの先、永遠に変える第一歩を踏み出すことになる。

●最後に本書の最終セクションを高速リーディングする。これは、あなたの読書がどれだけ速くなったかを知る、よいバロメーターとなる。

いますぐできる、時間管理の五つの方法

ちょっと文書を整理したり、時間をうまく使うだけで、フォトリーディング・ホール・マインド・システムを活用する幅が広がります。

以下の方法を実践して、その効果を体験してください。

1．文書処理の優先順位を決める

文書処理をA、B、Cの三つの優先順位に分ける。「A」は緊急なもの、「B」は重要だが緊急ではないもの、「C」は特に読む必要のないもの。優先順位が「A」のものからフォトリーディング・ホール・マインド・システムを実行してみる。

2．優先順位を付けるのは最初の一回だけ

各文書の優先順位は、最初に見たときの印象で決める。その決定を書き留めておく。

3．常に読むものを持ち歩く

待ち時間を読書に活用する。ホール・マインド・システムを用いることで、五分や一〇分のあき時間で驚くほどの読書が達成できる。

4．重要な文書はすべてプレビューしておく

その先のステップに進む余裕がない場合でも、ファイルする前に少なくとも三〇秒はプレビューする。

5．どんな機会でも、フォトリーディング・ホール・マインド・システムを活用する

手にしたものはすべてフォトリーディングしてみる。新聞、定期購読誌、あるいは業界誌が届いたら、フォトリーディングする。準備を整え、フォトフォーカスでページをめくっていく。たとえアクティベーションを行なわなくても、脳内に写し取られた情報はいつ

か役に立つ。

あらゆる文書に フォトリーディング・ホール・マインド・システムを活用する

　フォトリーディングは、あらゆるタイプの文書に対応することができます。手紙、電子メール、ホームページ、新聞、業界誌、雑誌、小説、教科書、技術マニュアルなど。日ごろ目にするさまざまな文書に対して用いることができるのです。

　このシステムを使うことで、毎日の日課としてこなさなくてはならない読み物に要する時間は、驚くほど短縮されます。

●新聞を読む

　毎日わずか数分の間に、あなたは新聞からものすごい勢いで情報を取り込んでいきます。新聞記事が伝える情報の九割は、見出し、小見出し、そして最初の段落で吸収できるようになっています。逆にいえば、記者は、伝えたい情報を記事の冒頭で要約して書くようにトレーニングされているのです。この事実を踏まえておくだけで、新聞を読む効率はあがります。

新聞のすべてのページをフォトリーディングすることから始めましょう。

立ち上がってテーブルの上に新聞を広げ、見開きの中央にフォトフォーカスします。そして、あなたの注意を引く見出しがあるかチェックします。自分の目的や必要性に応じて、もっとも重要だと思う記事を三～五本選び、それぞれを三〇秒ずつプレビューします。

もっと詳しく知りたいと思ったときは、スーパーリーディングとディッピングで、要旨を把握します。ほとんどの場合、その日のニュースは、その後の展開や結論が、翌日にも報道されます。フォトリーディング・ホール・マインド・システムを使って、関連情報を見つけ、すばやく把握したら、次へと進みましょう。

その日の晩に、ほかにもっと詳しく読みたい記事がないか、もう一度ざっと新聞に目を通してみます。その段階で、必要な情報はすでに十分入手したという自信が増すことでしょう。

●娯楽雑誌

とにかく楽しみましょう。後ろから前に目を通したってかまいません。自分の求める情報が載っている記事を選んで読んでいきましょう。まずはフォトリーディングし、続いてポストビューを行ないます。ポストビューは、長い記事でも三分以内にとどめます。そのあとスーパーリーディングとディッピング、あるいはスキタリングをして、要旨を把握します。一〇ページの記事なら通常、七分でアクティベーションできます。短い記事なら、さらに短時間で終えることができます。必要な記事をすべてカバーしたら、まだほかに読みたいものがあるかどうかチェックします。

●ビジネス雑誌、学術誌

日次をさっとプレビューすることから始まります。そして文書全体をフォトリーディングし、そのあと数分間ポストビューを行なって、より時間をかけて読むべき記事を選びます。選んだ記事は、その重要性に基づいて順位をつけ、もっとも重要なものからアクティベーションを始めます。記事の要約が載っている場合は、まずそれを読んでから、記事のプレビューを軽く行なってください。簡単なスーパーリーディングとディッピング、あるいはスキタリングをして、アクティベーションを終了します。メモを残しておきたい場合は、マインド・マッピングをしておくとよいでしょう。

●を読む

●小説

映画と同じぐらい、あるいはそれ以上に本を読むのが好きだという人は少なくないでしょう。私の場合も、集中しはじめたら、映画よりも小説のほうが、我を忘れて没頭できます。まずはいつもどおり、ミカンの位置を定めて「リラックスした集中状態」に入り、準備を整えます。次に、重要人物や場所、ことがらの名前をチェックして、物語をプレビューします。続いてフォトリーディングを行ないますが、それが結論を明らかにして読む楽しみを台なしにするということは、もちろんありません。フォトリーディングを終えたら、高速リーディングをします。小説を楽しむ場合、スーパーリーディングやディッピングは特に必要ないでしょう。

●教科書、技術マニュアル

プレビューをしてからフォトリーディングを行ないます。続いて、アクティベーションをする章あるいはセクションを決めます。後からどれぐらいの内容を思い出したいかによって、アクティベーションのステップを選びます。

私はたいてい、各章の終わりにある設問を見ながら脳への問いかけをすることから始めます。目的が明確で、質問が具体的であってこそ、スーパーリーディングとディッピング、あるいはスキタリングを通して必要な情報を獲得することができるのです。

ここでは、高速リーディングを省く場合もあるでしょう。もしあなたが学生、もしくはさらなるキャリアアップのために勉強している社会人なら、その方法を詳しく説明している、後述の「脳全体を使って勉強するには?」のセクションを読んでください。

電子メール、ホームページ、電子文書

ある会社幹部が、毎日洪水のように入ってくる情報量に嘆いていました。

「一日二日、オフィスを空けただけで、一〇〇通以上も電子メールがたまってしまう！」

一方、フォトリーディング・ホール・マインド・システムを活用している別の幹部は、一ページにつき一〇秒以内で電子メールの内容を消化できるから、いつも万全の準備で会議に向かうことができるそうです。「次に私に必要なのは、『フォトタイピング』かな！」と豪語していました。

調査結果によると、人はコンピュータ画面の文書を読む場合、印刷物を読むときに比べて、スピードが二五％落ちるそうです。インターネットで情報を送るとき、かつては送信にかかる時間の長さが最大の懸案事項でしたが、今日では、情報をコンピュータの画面から脳の中へ移し取る時間こそ、もっとも大きな課題だといえるかもしれません。

しかし、フォトリーダーにとっては、紙よりも字が読みにくいというコンピュータ画面の問題は、障害にはなりません。また、電子メール、ホームページ等によくある、文章力の稚拙さも、障害ではありません。なぜなら、フォトリーディング・ホール・マインド・

システムでは、電子文書内の文字や文章をひとつひとつ追っていくという、時間と労力のかかる作業をする必要はないからです。このシステムでは、言葉のかたまりの中にすばやく意味をとらえ、そこから目的に見合った情報を見つけ出すという、全脳をバランスよく活用する方法をとっているからです。

短い電子文書やホームページ、電子メール等には、プレビューのあと高速リーディングをするのがもっとも有効でしょう。長い文書には、システムのすべてのステップを使うのが有効です。

本を一ページ一ページめくる作業に比較して、コンピュータは、ページ送り（またはスクロール）機能があります。その結果、印刷された文書より、早いスピードでフォトリーディングすることができます。毎分一〇〇ページから五〇〇ページをフォトリーディングすることも特別珍しいケースではありません。

現在、何万冊もの本がインターネットで読めるようになっています。コンピュータにダウンロードしてワープロソフトで見なければならないものもありますが、多くの本がブラウザー上でフォトリーディングできます。

ラーニング・チャンネルで放送されたイギリスのテレビ局制作のある番組の中で、司会者のポール・マッケナルがインターネット上で小説をフォトリーディングしました。彼の

●を読む

フォトリーディングのスピードは、毎分五〇〇ページを超え、その後の読解テストでは七〇%の理解率を示しました。

電子文書を読むときも、通常の本を読むとき同様、プレビュー、フォトリーディング、スーパーリーディングとディッピング、あるいはスキタリング、そして高速リーディングというステップを踏んでいきます。ただし、コンピュータならではのいくつかの特徴のために、各ステップの内容は若干変わってきます。以下の違いに注意しておいてください。

●フォトフォーカス

普通、電子文書は、本のように二つのページが左右に並んだ見開きの状態ではないため、「ブリップ・ページ」を見ることはできません。フォトフォーカスのテクニックをマスターしていれば、ブリップ・ページに頼らなくても電子文書に対してフォトフォーカスを使うことはできますが、まだあまり自信がないというフォトリーダーは、第5章で紹介した、ブリップ・ページを用いないフォトフォーカスの方法を使うとよいでしょう。ページが次々に現われるコンピュータ画面の真ん中を「ソフト・アイ」で見るのが、もっとも良い方法のようです。

●ページをめくる作業

コンピュータ画面ではページをめくる必要はありません。文書を画面上で「スクロール」させる方法は、キーボードでページを「上下移動」させる方法に比べて、脳を混乱させやすいようです。長いファイルはいったんワープロソフトに移してから、「上下移動」機能を使って見るようにすると、フォトリーディングがやりやすくなるでしょう。そのほかのステップでは、スクロールを使っても問題ありません。

脳全体を使って勉強するには？

フォトリーディング・ホール・マインド・システムは、学校の課題図書を読みこなす道具としても完璧です。その学期に読むすべての本を、授業初日にそれぞれプレビュー、フォトリーディングしてしまうことも可能です。その日の夜、夢の中で、脳が、取り込んだ内容をあなたの目的や必要に合わせて整理してくれるのです。

教科書を読む課題が出されたら、課題となっている章をプレビュー、フォトリーディングします。同時に、その前後の一、二章もフォトリーディングします。たとえば、第三章と四章を読むように言われたら、それらをプレビューしたあと、第二章から五章までフォトリーディングするのです。課題になっている章の終わりにある設問をチェックします。それからスーパーリーディングとディッピングで、質問の答を探します。

授業では、自然に、それらの章のアクティベーションを行なうことになります。講義を聞きながら、マインド・マップをつくります。授業のノートは、すべてマインド・マッピングで取るようにしましょう。授業ごとにつくった複数のマインド・マップをひとつにまとめれば、講義全体を通した復習ができます。

課題に出された章の内容についてまだ具体的に知りたいことがある場合には、スーパーリーディングとディッピングでそれを見つけます。漠然とした物足りなさがある場合は、スキタリングか高速リーディングをして、章全体に目を通します。記憶する必要のある重要事項、たとえば具体的な事実や、公式、定理、歴史上の事件などは、マインド・マッピングをします。

レポートを書く際は、第10章で説明する「シントピック・リーディング」を行ないます。レポートのテーマに関する本を何十冊もプレビュー、フォトリーディングするのです。それから、もっとも重要だと思われる部分をスーパーリーディング、ディッピングし、主題を把握します。下書きをマインド・マップで描き、それをもとにレポートを完成させます。

試験勉強の際は、マインド・マップを見直し、宿題をフォトリーディングします。その後、試験の対象となっている章を高速リーディングで復習します。

このように学習ツールで使うと、勉強がいかに簡単で楽しいものになるか、あなたはきっと驚かれると思います。

あるフォトリーダーは、大学の人文科学のクラスで、学期中に九冊もの本を読まなければなりませんでした。彼女は、レポートを書くために、そのうちの一冊――六〇〇ページ以上の本でしたが――をフォトリーディングしました。時間は三〇分もかかりませんでした。そして、そのレポートの評価は、Aでした。さらに、その学期の最終的な成績もAでした。ホール・マインド・システムを使った結果、九冊全部合わせても、二時間以内で、勉強は終わってしまったそうです。

もしこの話が信じられなければ、ぜひ自分自身で体験してください。

以下の手順で勉強してみましょう。

勉強は三〇分単位で行います。その三〇分の中には、心の準備と肉体的な休憩も含まれます。時間を三〇分に区切ることにより、集中力のアップと記憶力の向上がはかれます。

1　この勉強に使用するすべての本を自分の前に並べる。

2　三分から五分かけて、目的を明確化する。そして「リラックスした集中状態」に入る。

目的とは、この勉強によって得たい結果のことです。「リラックスした集中状態」に入ったら、アファメーションを繰り返します。アファメーションは現在形の言葉で行ないましょう。たとえば……。

●私はこの物理の教科書の第五章と六章をしっかり吸収します。そして章の最後にある設問に答え、明日のクラスに備えることができます。
●これから二〇分間、私は、無理なく、しかし完全に集中した状態で勉強します。
●勉強が終わったときには、私はリラックスした爽快な気分で、自信に満ちています。
●あとで勉強したことを思い出すとき、私はゆったりと構えて決して無理はしません。情報は自由に私の頭の中を流れ、必要なものは簡単に引き出すことができます。

3　リラックスした集中状態で勉強を開始する。

教材を数分間プレビューし、残りの二〇分を、目的に応じて、フォトリーディングとアクティベーション、もしくはフォトリーディングと高速リーディングのいずれかの組み合わせに使います。雑念は一切入れずに、集中してやりましょう。

4　五分間休憩する。

この休憩は非常に重要です。勉強していた場所から物理的にも精神的にもいったん完全に離れましょう。勢いに乗っていて何時間でも勉強し続けられそうな気分でも、ここで必ず休憩すること。事前のアファメーションにおいて、二〇分間勉強すると明言したことを忘れずに。その言葉を守ることは、自分自身への信頼感につながるだけでなく、休憩することで、脳に、勉強したことを吸収し記憶する時間を与えることになるのです。

5　ステップ2に戻って、二回同じことを繰り返し、全部で九〇分間のプログラムとする。

これを一サイクルとして、次の九〇分サイクルとの間には一五分間の休憩を入れます。勉強中、静かな音楽を流しておくと、よりリラックスできるでしょう。研究結果によると、クラシックやニューエイジミュージックが、学習中の脳に好影響を与えるようです。

脳全体で試験を受ける

ホール・マインド・システムで勉強した内容について試験を受けるときには、次の方法を試してください。

●リラックスした集中状態に入る。

●まずすべての問題をフォトリーディングしてから、最初の問題を読む。

●簡単な問題から先に答えていく。

そのときに取り組んでいる問題にだけ集中し、その前や後の問題については考えないようにします。

●問題を読んでも答が出てこないときは、そのまま次の問題へ進む。

問題を読んだ時点で、その答に対する要求はすでにあなたの脳に送られています。簡単に答えられる問題を先に片づけたあと、飛ばした質問をもう一度読みます。二度目のリーディングによって再度要求が送られ、適切な答が意識上に現われるのを促します。

●脳の奥深くから送られてくる、答の有無を示す合図に耳を傾ける。

問題を必要以上に分析しようとせず、脳の反応を直観的に察知しましょう。たとえば、道路にある信号を思い浮かべてください。青は「進め」。黄色は「答はわかっているが少し慎重になろう」。赤は「待て、この質問にはまだ答えるな」ということです。

●良い成績を取ろうという考えは持たないこと。

どんな試験の結果も、その重要性は時とともに薄れていくものです。多くの場合、無理強いはフラストレーションを生むだけです。何かを手に入れたいときは、まずそれに対する執着を捨てることが大切です。

●試験の最中は、何度か手を止めてリラックスする。

スキルを完成させる

あなたの脳には生まれつき、フォトリーディングをする能力が備わっています。しかしあなたは、フォトリーディング・ホール・マインド・システムのすべてのスキルを身につけて生まれてきているわけではありません。このシステムは、使うことによって初めて完成され、意識しないでも使いこなせるようになります。

フォトリーディングをはじめ、このシステムの各ステップは、ピアノを習ったり、コンピュータの使い方を覚えたりすることと同様に、学んで身につけるスキルです。

新しく身につけたスキルを日常の習慣として定着させたいという人には、学習理論のスペシャリストである、ミネソタ大学のデイビッド・W・ジョンソン氏とメリーランド大学のフランク・P・ジョンソン氏の考案した方法をお勧めします。彼らのアプローチは、フォトリーディング・ホール・マインド・システムの学習にも適しています。

●そのスキルがなぜ重要で、自分にとってどんな意義があるのかを理解する。

スキルを身につけるには、それが自分にとって必要なものだと感じることが絶対条件となります。そのスキルを身につけたいという強い気持ちを持つことが非常に大切です。

●そのスキルを用いることでどんな成果が得られるのかを十分に理解し、それに必要な一連の作業を学ぶ。

フォトリーディング・ホール・マインド・システムは、必要な時間内に、必要な理解力をもって、読書を完了する方法です。このシステムは、準備、プレビュー、フォトリーディング、アクティベーション、高速リーディングの五つのステップで構成されています。各ステップは、一連の作業によって成り立っています。ステップの流れをしっかり理解できるまで、指示に従ってそれらの作業を何度も試してみましょう。フォトリーディングをマスターしている人が、実際にやっているところを何度か見ることは、とても役に立ちます。

●スキルを活用できる場を見つける。

スキルをマスターするには、とにかく繰り返し使うことが大切です。毎日、短時間、さまざまな状況でそのスキルを実践しましょう。

●第三者に自分を見てもらい、パフォーマンスを評価してもらう。

目標に向かって進み続けるには、定期的に客観的な評価を受けることが必要です。

●継続する。

何より続けることです！　新しいスキルを習得する際には、誰にでも同じようなリズムがあります。はじめはスローペースで進んだ学習が、ある時点でいっきに加速します。しかし、その後またしばらく、ほとんど進歩の見られない時期がやってきます。この停滞期間は、新しいスキルの習得には付きものです。もし壁に突き当たったら、その先に大きく飛躍する段階が待っていることを自分に言い聞かせながら、ひたすらスキルを使い続けましょう。

●学習レベルを上げていく。

自分に要求するレベルを、できる範囲内で、少しずつ上げていきます。たとえば、ストップウォッチで朝刊を読む時間を計り、翌日にはそれより五分短い時間で同レベルの記事を読むようにします。プレビュー、スーパーリーディングとディッピング、あるいはスキタリングの精度を高めて、読書のスピードを短くしていきましょう。

●仲間にスキルの活用を応援してもらう。

フォトリーディングを学んでいる仲間との意見交換やおしゃべりは、そのスキルを毎日活用していくうえで大変な励みになります。フォトリーディングに興味のある人を探して、一緒に学ぶようにしましょう。

●違和感がなくなるまでスキルを使い続ける。

スキルは、使えば使うほど、自然に感じられるようになります。スキルを学んでいる途中の段階では、自意識が過剰になって、ぎこちなく感じるものです。ただ形だけをなぞっているような感じさえするでしょう。そうしたぎこちなさは、誰もが感じることです。

だからといってスキルの習得をあきらめたりはしないでください。タイプの仕方を学ぶときも、最初はとてもぎこちないものです。はじめのぎこちなさに負けずに使い続けてこそ、スキルは身についていくのです。

最終的に、本書で紹介したテクニックを目的達成のために活用するかどうかは、あなた次第なのです。ホール・マインド・システムをマスターしたい人は、次の言葉を実践してください。

「使って、使って、使いまくること！」

こういうと、非常に大変そうに思えるでしょう？　でも無理する必要はありません。

あらためて「練習の時間」を設ける必要もありません。気持ちの負担になるだけです。いずれにしろ、読みたい文書、あるいは読まなければならない文書は、洪水のごとく押し寄せてくるのですから。ただ、その文書の洪水を処理するために、このシステムを使っていればいいのです！

とりあえずは、いまあなたの周りに積み重なっている本の山から、取りかかってみませんか？

フォトリーディング・ホール・マインド・システムを何に使うか？

この章を読み終えたら、自分は通常、どんなときに文書を処理する必要が多いのか、具体的に考えてみましょう。たとえば、報告書や業界誌を読む時間が多い人もいれば、教科書を勉強することに時間をかける人もいます。また、コンピュータを使って調査する時間が多い人も多いでしょう。

あなたは、どんなときに、どんな文書を処理することが多いでしょうか？　その文書処理の目的を達成するために、このリーディング・ホール・マインド・システムを使いましょう。

自分がどういうときに、このシステムを使うかを想像してみてください。そして、いつ、どこで、このシステムを使うかを具体的に決めてみましょう。

たとえば、朝、見出しと写真のキャプション（説明書き）に目を通しながら新聞をプレビューする自分の姿が思い浮かぶかもしれません。

フォトリーディング・ホール・マインド・システムの活用法は実にさまざまです。そのいくつかは、すでにあなた自身体験済みです。
次の章で、さらなる活用法をレパートリーに加えていきましょう。

第9章　グループ・アクティベーションで情報を共有する

職場のデスクに積み重なる、ぶ厚い書類の山……。

この紙の山にうんざりしているビジネスマンたちを、私は大勢見てきました。明細書、企画書、コンピュータのプリントアウトの束、技術解説書、ソフトウエアのマニュアル、などなど……。そんな彼らにフォトリーディングのシステムを教えると、彼らの目は期待感でパッと輝くのです。

私がミネアポリスでIDS・アメリカンエキスプレス社を相手に初めてフォトリーディングの研修を行なったとき、その講座を受講したのは、情報システムとデータ処理の担当者グループでした。ある日、クラスが終わったあと、数人の参加者が私のところにやってきました。報告書の束を抱えたそのうちのひとりが、こう言いました。

「いまのところ、この講座は非常に面白いのですが、実際それらのテクニックをこれに対してはどう使えばいいんでしょう?」

彼は書類の束をテーブルの上にドサッと下ろしました。私は少したじろいで、「この束については、次のクラスでやりましょう」と答えました。

その日の午後、私は机の上を片づけて、束の一番上にあった、コンピュータで作成した青い表紙のレポートを自分の前に置きました。表紙には、「CATS　スケジュール外の支出およびシステム外のスペック表」と書かれていました。それを見た瞬間、私の脳はパンク状態になり、ヒューズが飛んでしまいました。

「CATS」と聞けば、私には猫のことしか思い浮かばないのですが、レポートで解説されているCATSはもちろん略語で、猫のことではありません。明日のクラスのことを考えると、心臓がドキドキしはじめました。「ほーら、俺たちの仕事には、こんなテクニックは役に立たないんだよ」という嘲笑さえ聞こえてくるようでした。屈辱感が湧いてきて、手のひらには汗がにじんでいました。明らかに、私はドキュメントショックに陥っていたのです。

私は呆然としたまま表紙をめくり、目次を読もうとしました。まったく意味がわかりません。すべてがチンプンカンプンだったのです。私は完全にパニックに陥りました。

私はほとんど本能的に作業を中断しました。

そして一度大きく深呼吸してから、高速学習モードに入りました。目を開いて、フォト

フォーカス状態にし、そのレポートをフォトリーディングしはじめました。一回目は正しい方向で、二回目は、逆さまにして後ろから読みました。フォトリーディングを終えると、私は目を閉じて、終了のアファメーションをしました。

すると、驚くべきことが起こったのです。

目を開いてもう一度目次を見たところ、信じられないことに、今度はすべてが理解できたのです。続けてプレビューを行なうと、文書全体の構成も、扱われている情報も、その目的も、導き出された結論も、すべてがはっきりと見えました。

さらにスーパーリーディングとディッピングを行なうと、データ処理の担当者たちがこのレポートから知るべきことがらを、完全に把握することができたのです。

私はお菓子屋に入った子どものように、はしゃぎました。そして、残りの書類を次々とむさぼり読みました。各書類とも、一一～一三分で読了。それについてディスカッションするのに、十分なレベルまで理解することができました。

次のクラスに臨んだ私がいかに自信に満ちていたかは、ご想像どおりです。

あるマネジャーは、私のほうが彼よりもレポートについてよく理解していると言いました。ちなみに彼の部署は年四回、同様のレポートを作成しているそうです。

私は彼らに、フォトリーディング・ホール・マインド・システムを使ってレポートを読む方法を説明しました。ビジネス関連の文書や学習教材は、フォトリーディング・ホール・マインド・システムを使うことで簡単に読むことができます。

会議や授業の前に内容に通じておく必要がある場合、次の方法を使えば絶大なる効果が得られます。

グループ・アクティベーション

あなたが、三人の部下を統括する部署の責任者だとします。三人は会社の業務についてそれぞれ異なる専門知識を持っています。たとえば、ひとりは人事を、二人目はデータ処理を、そして三人目はマーケティングと商品開発を担当しています。

ある日、あなたは、新しく会社全体で導入するコンピュータシステムのソフトウエアのマニュアルを手渡されます。目次を見ると、一週間以内に六〇〇ページを読まなければならないことがわかりました。

あなただったら、この状況に、どう対応しますか？

まず、いままでの読書法です。つまり、あなたと三人のスタッフが、その後数日間は夜眠ることをあきらめて、全員が最初から最後までひたすらマニュアルを読むことです。

このつらい作業のかわりにぜひ試してほしいのが「グループ・アクティベーション」と呼ばれる方法です。

スタッフひとりひとりに、マニュアルのコピーを配ります。それぞれが一晩、マニュアルを家に持ち帰り、五～八分プレビューしたあと、寝る前の数分間、フォトリーディングをします。そして翌日、会社で集まり、マニュアルのアクティベーションを行なうのです。ミーティングでは、まずそれぞれのスタッフから、プレビューによってわかったことを聞き出します。こうすることで、グループ全体が参照できる、内容の基本的な枠組みを持てるようになります。

次に、グループのメンバー全員にアクティベーションをしてもらいます。それぞれに七～一〇分スーパーリーディングとディッピングをさせ、具体的な情報を見つけてもらいます。このとき、ひとりひとりに、その人の個人的あるいは仕事上の興味に関連する具体的な課題を与えるようにしましょう。

たとえば、人事に詳しいスタッフには、システムを導入することによって、新たな採用や研修が必要になるかどうかを判断することを目的に、スーパーリーディングとディッピングを行なってもらいます。システム管理の担当者には、既存のシステムとの併用の可能性を検討してもらいます。

それが終わったら、次に、グループ会議でマニュアルのアクティベーションを行ないます。

まずスタッフひとりひとりに、五分間ずつ、スーパーリーディングとディッピングで得た知識を説明してもらいます。スタッフのひとりに、各説明の主要なポイントを巨大なマインド・マップにしてもらいます。マインド・マップが完成したら、みんなでディスカッションをします。それぞれの説明に対して、お互いに具体的な質問を投げ合います。

この会議の密度の濃さと質の高さに、あなたはきっと驚くことでしょう。相手に質問し、また質問に答えることが、スタッフたちはお互いのアクティベーションを促し合うことになるのです。これが、グループ・アクティベーションです。

この方法を使うことで、文書処理は、何時間もかかる非効率的な作業から、実に楽しく、有益な数分間へと変わります。さらに、この方法によって、人々がそれぞれの専門を超えて、情報を共有することが可能になります。意外なことに、この情報化社会において、担当分野を超えて情報を共有することは、珍しいことなのです。

そしてその効果は絶大です。

高い能力を持つ人たちが、何時間もマニュアルと格闘することから解放され、自分がもっとも得意とする仕事に集中することができるのです。情報を共有し、互いに学び合って、さらにその能力を高めていくことができます。この方法によって、担当者グループは、非常に生産的な意思決定ができるようになります。

これは私の知る限り、情報洪水とドキュメントショックに対処するための、もっとも強力なツールです。もはやひとりの人間が、あることがらについてすべてをマスターする必要はなくなりました。フォトリーディング・ホール・マインド・システムを使えば、部署や専門の枠を超えて情報を共有することが、日常的に実現できるのですから。

以下のフォーマットは、グループ・アクティベーションを系統立てて説明したものです。複数の人がひとつの文書について共通理解を持つ必要があるときは、いつでもこれを利用できます。

1　セッション前の課題

グループのリーダーが文書のコピーにメモを添えて各メンバーに渡すことから、プロセスは始まります。メモには、ミーティングの目的と求める成果が書かれています。

2　各自の準備

各自、宿題として与えられた文書を次のステップにしたがって読みます。

- ●準備（一〜二分）
- ●プレビュー（三〜八分）
- ●フォトリーディング（一〜三分）
- ●オプション：スーパーリーディングとディッピング（最長一〇分）
- ●文書のアクティベーションを行なってグループの目標をみごとに達成した自分たちの様子を想像しながら寝る。

3　グループ・アクティベーション

グループの目的をもう一度、明言します。そのあと、形式、要点、著者が掲げる問題など、その文書の全体的な特徴について簡単にディスカッションします。

次に、各メンバーに、分析してほしいセクションと具体的な分析テーマを与えます。たとえば、ひとりのメンバーはマネジメントの立場からレポートを分析し、別のメンバーは著者が提示する問題について掘り下げ、また別のメンバーは短期的な影響について検討する、という具合に。

メンバーひとりひとりに、担当するセクションを高速リーディング、あるいは文書全体をスーパーリーディングしてもらい、カギとなる概念を探してもらいます。時間を定めることを忘れずに（熟練したフォトリーダーは通常、一五～三〇ページのレポートを七～一二分でアクティベーションします）。

4　ディスカッション——分析を重視する場合

文書の構成と内容を概説します。

●キーワードをリストアップする。それらは何を意味しているのか？　途中でそれらの意味が変化することはあるか？

●著者が掲げる問題をリストアップする。文書中に提示された意見や事実の裏にはどんな考え方があるのか？　意見および事実を論理的に整理して、カギとなる論点を見つけ出す。結論を先に見つけたら、その原因・理由を探す。原因・理由が先に見つかったら、それが導き出す結論を探す。

●提示された問題と、その解決策について検討する。著者が解決した問題は何か？　また、未解決のまま残された問題はないか？

●文書を批評する。提示されたアイデアの価値と問題点について話し合う。賛成できる主張はどれか？　反対する点とその理由は何か？

ディスカッション――クリエイティビティを重視する場合

分析を目的とするディスカッションよりも、アイデアを考案したり、新しい方向性を決定したりする、創造的ディスカッションの方が望ましいケースもあります。その場合は、次のフォーマットが適しています。

●文書に対する「感覚的な反応」がどんな感じかを説明する。どんなふうに感じるかは、情報を解釈する土台となる。
●文書から得た情報について述べる。
●その情報がグループの目的に対して、どんな意味、関連を持つかについて、ブレーンストーミングを行なう。
●以上の情報をベースに、グループとして次に何を行なうかを決定する。

フォトリーディング・ホール・マインド・システムの効果は、さざ波のように会社全体に広がっていき、仕事のやり方そのものを変えてしまう力を持ちます。適切な意思決定は、全員が同じ情報を共有するときに実現します。このシステムを使うことで、ほとんど負担

なく、各自が情報を共有化することができるのです。

夜、数分の時間をプレビューとフォトリーディングに当てるのは、大した労力ではありません。そして、会議時間の一〇分ほどを使って、問題解決への強い目的意識を持ってアクティベーションを行なうことは、驚くほど大きな成果をもたらします。アクティベーションにより情報を共有したとき、グループは能力のすべてを傾けて、最適な意思決定をすることができるのです。

さまざまなグループで活用する

この章ではグループ・アクティベーションのビジネスにおける活用法を紹介してきましたが、このテクニックは、情報を共有する必要があれば、どんな場面でも使うことができます。たとえば、読書クラブなどは、あなたのフォトリーディングのスキルを活用し、それにさらに磨きをかける絶好の場といえるでしょう。図書館等には、たいてい新メンバーを募集しているこうしたクラブの情報があります。もし適当なクラブがなければ、自分でつくってしまうのもいいでしょう。

あなたが大学で勉強中の身であれば、遅かれ早かれ、課題図書を読むことが必要とされるグループ・プロジェクトを行なうことになるはずです。ここで紹介したテクニックをプロジェクトに活用しましょう。グループのメンバーたちは、課題図書の内容の把握にズバ抜けた能力を発揮するあなたに信頼を寄せ、尊敬することでしょう。

仲間を誘おう

どうやってグループのメンバーにフォトリーディングを始めてもらえばよいか。メンバー全員に一冊ずつ、この本を買ってあげればいいのです。彼らにこの本全体をプレビューおよびフォトリーディングしてもらい、そのあと、この章のみをアクティベーションしてもらうのです。きっとみんな、好奇心を刺激されるのではないでしょうか?

真面目な話、あなたの仲間たちがこのスキルを身につけることは、とても有意義なことです。まず、冒頭にある「二五分で、この本を読んでみよう」に従って、レベル2まで読むよう勧めてみましょう。一時間ほどの作業です。

「レポートを読んでいないから、会議に出ても話に参加できない」などという状況とは縁を切りましょう。家に書類の束を持ち帰ったものの、手をつけずに、後ろめたさを感じながら見て見ぬふりをする、などということも、過去の話にしてしまいましょう。これからのあなたは、どこにいても人々の先頭に立って、力強くリーダーシップを発揮できるのです。

とにかく、試してみることです。必ず成功するはずです。

次の章では、いままでご紹介してきたアイデアをよりパワフルに実践するために、フォトリーディングのスキルにさらに磨きをかける方法を学んでいきましょう。

フォトリーディング　驚くべき成功事例

あるビジネスウーマンは、フランス語を学ぶ必要が生じたため、ブリュッセルのベルリッツスクールでフランス語のクラスを受講する前に、二週間にわたって英仏辞書を繰り返しフォトリーディングした。スクールに通いはじめてからは、クラスのあと毎晩、テキストと辞書をフォトリーディングし、三日目には、早くも二冊目のテキストに入っていた。スクール側は彼女に、「あなたは過去もっとも優秀だった学生の２．５五倍の速度で進歩している」と言ったそうである。

保険のセールスをしているその男性は、仕事が忙しく試験の勉強をする時間が十分にとれなかった。しかし、「試験に落ちてクラスをやり直すことになったら最悪だ」と自分に言い聞かせながら、フォトリーディング・ホール・マインド・システムを使って勉強したところ、無事合格することができた。

あるオフィス・マネジャーは、間違った場所にしまったファイルを簡単に見つけ出せるようになった。「フォトリーディングの状態に入ると、探しているファイルが、まるで私に向かって引き出しから飛び出してくるかのように、すぐ見つかるんです」

その不動産屋の男性は、文字どおりの叩き上げだった。１０年生のときに高校を退学して以来、一度も過去を振り返ることなく生きてきた。５０年の人生の中で、彼が読んだ本はたったの３冊。そんな彼がフォトリーディングを学んだ感想を、こんなふうに話している。「とにかく素晴しい。この二週間で１０冊以上の本を読みましたよ。フォトリーディング・コースは、私の人生の中で最も楽しい体験のひとつとなりました」。彼は長い間、自分が学習に向いている人間だとは思ってこなかった。フォトリーディングを通して、彼は自分が学べる、ということを証明したのである。

その牧師は、ある晩、寝る前に聖書の一部分をフォトリーディングした。その夜、聖書の中のある物語が夢に出てきた。それは彼の教区民のひとりが抱える問題にそっくり当てはまるものだった。彼はその夢をヒントに、その教区民に助言をすることができた。

重度の近眼である数人のフォトリーダーが、視力の変化を報告している。一年間、継続的にフォトリーディングを行なったところ、毎年の視力検査の結果が、それまでの悪化傾向に反して、回復を示したという。いずれのケースにおいても、そのような視力の回復は非常に珍しいと検眼医は言っているそうだ。

ある１７歳の高校生は、読書が嫌いだった。ところが今、彼女は以前には考えられないような量の本を読むようになった。「人生がすっかり変わったわ」と彼女は話している。

ある公認会計士が、ベンチャー・キャピタルの立ち上げについて話し合う会議にパネリストとして招かれた。多忙を極める彼女には、そのための準備に数時間しか取ることができなかった。彼女は数冊の本を選んで、フォトリーディングとアクティベーションを行なった。それだけで、まるで何日もかけて本を読みメモを取って準備をしたかのような充実感を得ることができた。彼女は当日、明瞭簡潔に情報を提供し、高い評価を受けた。

第10章　シントピック・リーディングで生涯学習

大学院で勉強していたときのことです。ある日教授が、人材マネジメントの分野でテーマをひとつ選ぶよう、クラスに言いました。

「選んだテーマについて、見つけられる限りの文献を読み、一〇～二〇ページのレポートを書いてください」

私は自分の選んだテーマについて、一二冊の本を見つけました。そしてフォトリーディング・ホール・マインド・システムを使って、午後の半日ですべての本を読み終え、レポートの下地となるマインド・マップを完成させました。そしてマインド・マップに基づいてレポートを書き、提出しました。

返されたレポートには、たった二つの言葉が添えてあるだけでした。

「一〇〇点」と「優秀」です。

それまでの大学・大学院生活を通じて、こういったタイプの宿題がこれほど簡単に思えたことはありませんでした。

フォトリーディングの共同開発者である私の同僚、パトリシア・ダニエルソンは、この経験で得たアイデアを改良して、「シントピック・リーディング」という名のシステムをつくり上げました。そして、その方法をヨーロッパでテストしたところ、非常に良い結果が得られたのです。

シントピック・リーディングは、フォトリーディングを学習する意義をさらに高めるものです。シントピック……つまり「同一トピック」について何冊もの読書をするには、学んだテクニックのすべてを活用し、さらに上のレベルを目指す必要があります。

午後の半日だけで、同じテーマについて三～五冊の本を読む……。

それも、この章で紹介するシントピック・リーディングのステップに従えば、あなたにもできることなのです。

シントピック・リーディングとは何か？

あなたが関心を持っている分野を、思い浮かべてください。その分野の書籍で、非常に読みたいと思えるものを一冊見つけたとします。同じテーマを扱った本をさらに三冊フォトリーディング↓アクティベーションすれば、その一冊への理解はよりいっそう深くなります。

さて、ここで素晴らしいニュースがあります。

私たちのツール――シントピック・リーディング――を使えば、従来の方法で一冊を読むより短い時間で、その四冊すべてを読むことができるのです。

読書を、生涯続く探究の道だと考えてください。読書をすればするほど、「ひとつのものの見方には、必ず相反する見方がある」ということがわかってきます。熟練した読み手は、相反する見解から、やがて一歩高いレベルの答を導き出します。シントピック・リーディングは、上の段階を目指す読者にとって、最適のツールです。そのテクニックによって、ひとつの問題についての多様な見方・考え方を知り、さらに総合的に判断することが、簡単にできるのです。

優秀な読み手は、ひとつのテーマについてさまざまな側面を理解し、そこから自分なりの結論を導き出します。シントピック・リーディングを行なうことで、あなたの結論は、他人の請け売りではなく、自分独自の意見になります。なぜなら、シントピック・リーディングを通して多くの考え方に触れることで、そこから自分の納得するものを選んだり、また自分なりの新たな見解を導き出すことができるからです。

あなたにとっての真実は、あなた自身の知識、そして経験から導き出されるものです。一冊の本を鵜呑みにすれば得られるというものではありません。ある分野について深く理解するためには、本来、それについて複数の本を読まなくてはならないのです。ひとつのテーマについて複数の本を読むことは、どれほどの効果を生むのでしょう？

ある学生のフォトリーダーのエピソードを紹介しましょう。

彼女は高校を卒業してから二五年ぶりに、大学の学位を取得するため、地元のコミュニティーカレッジに入学しました。彼女は歴史のクラスで論文形式のテストを受ける準備をするために、七冊の本をフォトリーディングしました。

彼女は目を輝かせながら、試験中に、言葉が次々とあふれ出てきた様子を話してくれました。あれほどリラックスし、自信をもって受けた論文形式のテストは初めてだと言いました。そして誇らしげに「成績はAでした！」と付け加えました。彼女は、フォトリーディングをシントピック・リーディングへとみごとに移行させたのです。

シントピック・リーディングのコンセプトは、モーティマー・アドラーとチャールズ・ヴァン・ドーレンの有名な本『How to Read a Book（どのように本を読むか？）』において、初めて紹介されました。いまから五〇年前のことです。アドラーは、シントピック・リーディングで使われる思考テクニックこそ、読書家の究極のゴールであると述べました。

私たちは、彼らのテクニックに、フォトリーディング・ホール・マインド・システムのテクニックを付け加えたのです。その結果、多様な考え方を、より短時間で、統合できるようになりました。

私のクラスに、教育学の博士課程を履修中の学生がいました。彼にとって、レポートの執筆は、大変時間のかかる作業でした。レポートを書くには、まず複数の本を読み、情報を整理し、そのうえで自分自身の意見を導き出すというステップを踏まなくてはなりません。シントピック・リーディングを学んだあと、彼は早速、レポートの執筆に活用してみました。

数カ月後、彼は私に電話してきました。

「これはすごいですよ！」彼は電話口で叫んでいました。

「フォトリーディングのおかげで、どれだけ楽だったか！　いままでなら仕上げるのに二、三日かかっていたレポートが、午後の半日だけでできちゃうんだから……」

どうしたらそんなことができるのか？

シントピック・リーディングの基本ステップを踏んでいくことで、それは可能になるのです。

1　目標を設定する

シントピック・リーディングの最初のステップは、自分にとって価値がある、明確な目標を設定することです。目標は具体的であることが重要です。たとえば、お金を管理する戦略について学びたいとしましょう。効果的な目標とは、次のようなものです……。

●「経済的に独立できるようになるために、お金を節約し、賢く投資する方法を学ぶ」

このような目標はとても明快で、本人にとって具体的な価値を持ちます。「資金の運用について勉強したい」という漠然とした目標に比べて、はるかに大きな力を発揮します。

ポイントは、「〇〇できるようになるために、×××（ここに目的を述べる）」という文章をつくるようにすることです。具体的な目標を立てることは、長期的な記憶力にも役立ちます。

2　文献目録をつくる

次のステップは、文献目録、つまり読む本のリストをつくることです。自分の目的にあった本であるかどうかを、プレビューして確認します。関連分野を扱いつつ、違う意見を持った著者の本（ノンフィクション）を選ぶようにします。

3　アクティベーションの前日に、すべての本をフォトリーディングする

新しく取り込んだ知識を整理するために、脳は熟成期間を必要とします。アクティベーションを行なう前日に、選んだ本をフォトリーディングしましょう。眠っている間に、脳はフォトリーディングで取り込んだ情報の整理を行ないます。

4　大きなマインド・マップをひとつつくる

まず一枚の大きな紙と、カラーペンを準備します。フォトリーディングをした本について、マインド・マップをつくってみましょう。シントピック・リーディングのこれ以降のステップにおいては、常にマインド・マッピングでメモを取ります。

次ページの図をご覧ください。

まずあなた自身の目標を、紙の中央のいちばん目立つ位置に書きます。あとで目標の言

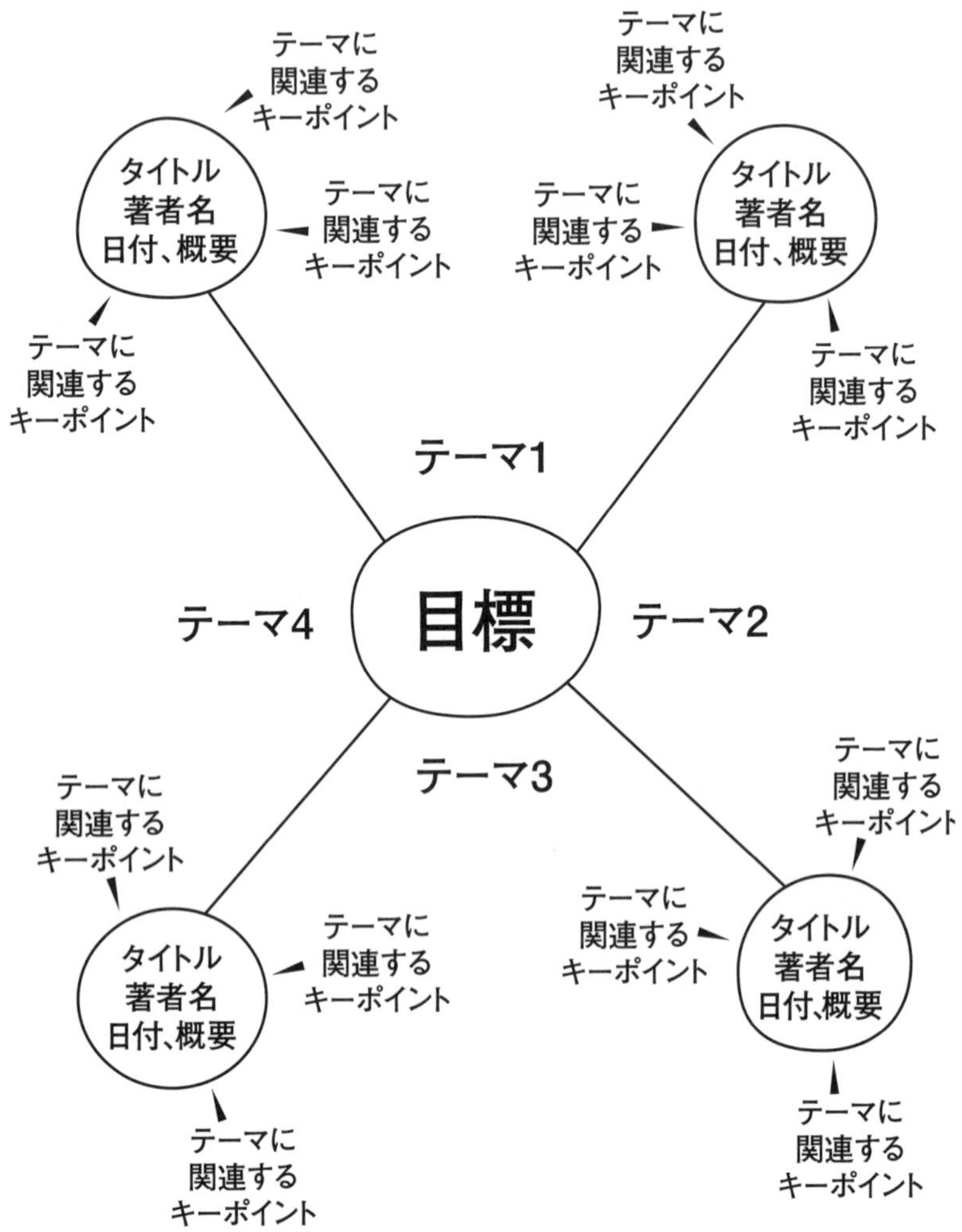
目標
テーマ1
テーマ2
テーマ3
テーマ4
タイトル
著者名
日付、概要
テーマに
関連する
キーポイント
テーマに
関連する
キーポイント
テーマに
関連する
キーポイント
タイトル
著者名
日付、概要
テーマに
関連する
キーポイント
テーマに
関連する
キーポイント
テーマに
関連する
キーポイント
タイトル
著者名
日付、概要
テーマに
関連する
キーポイント
テーマに
関連する
キーポイント
テーマに
関連する
キーポイント
タイトル
著者名
日付,概要
テーマに
関連する
キーポイント
テーマに
関連する
キーポイント
テーマに
関連する
キーポイント

葉を修正したくなったときのために、十分なスペースをとっておきましょう。目標を真ん中に据えるのは、このマインド・マップが、自分の目標を達成するためのものであって、本を要約するためのものではないということを、常に覚えておくためです。それぞれの本の中で、あなたの目的と関係のない部分は、それがどんな素晴らしい内容であっても重要ではありません。

5　関連箇所を見つけ出す

それぞれの本をスーパーリーディング、ディッピングして、目的に関連する箇所を見つけ出します。このステップでも、常にあなたの目的は、著者の目的より優先されなければなりません。自分の目標を常に目指すべきゴールとして意識することで、うっかり見過ごしてしまいがちな有益な情報を、漏らさず見つけることができるのです。見つけた関連事項は、そのつどマインド・マップに書いていきます。

この時点では、詳細を深く読み込みたくなる気持ちを抑えましょう。ディッピングは本全体を通して軽いものにとどめ、関連箇所についてのみ行います。この作業を進めていくうちに、初めは複雑に思えた、中心的テーマが次第に明瞭になってきます。それに伴い、目標の表現の仕方も、より的確な言葉を使って、修正する必要が出てくるかもしれません。この過程を、本の著者たちとのディスカッションだと考えてください。

著者たちがあなたと一緒に、輪になって座っている場面を想像してみましょう。彼らに質問をし、あなたの目的に見合う説明を引き出すのです。ここでの意図は、彼らの本の内容を理解することではありません。あなた自身の目的について、理解を深めることなのです。

6　自分の言葉で要約する

出来上がったマインド・マップを見ると、そこにいくつもの重要なコンセプトが記されていることに気づくでしょう。まずはここまでの段階で、このテーマに関するあなたの意見を、簡潔に要約してみましょう。

難しい専門用語ではなく、あなた自身の言葉で表現することが大切です。同じ内容を指すことでも、著者が違えば、違う言葉で表現されているかもしれません。手垢がついていない、自分自身の言葉を用いることで、請け売りではない、自分独自の考えを構築することができます

7　共通点と相違点を発見する

マインド・マップと本に目を通しながら、それぞれの著者の見解の共通点と相違点を見つけていきましょう。この段階まで来ると、多くの著者に共通する見解が見えてくるはずです。それをメモしておきましょう。

8　論点を定義する

著者の見解がそれぞれ異なるときは、その相違部分こそが、問題の論点となります。異なる意見を明らかにすることで、主題についてのあなたの知識はさらに深まります。

この時点で、再びスーパーリーディングとディッピングを行ない、問題の争点に関するキーポイントを見つけ出します。あなたは、著者たちが集まる部屋で質問をするレポーターというわけです。著者ひとりひとりに、問題の核心をつく質問を投げましょう。

質問ごとに、すべての本からひとつずつ答を探していきます。ひとつの本の中に答を見つけたら、すぐに別の本に移ってください。

9　自分自身の見解を導き出す

論点を見つけ、さまざまな意見に触れていくと、あなたは自然に、自分自身の意見を持つようになります。まず、問題のあらゆる面を検討したうえで、どの意見からも独立した立場を取りましょう。客観的な立場を保ち、偏った見方での分析を避けるためです。

十分な情報が集まった時点で、自分の位置付けを明確にします。そして研究結果に基づいた、独自の意見をつくり上げていきます。

10　活用する

テーマについての自分の意見が確立したら、本から得た具体的な情報に基づいて、それを裏付ける段階に入ります。まず、テーマがはっきりとわかるように、主な論点を整理します。自分の見解はできるかぎり具体的に述べましょう。

また、論理の信憑性を高めるために、情報源を明らかにする必要があります。著者の意見を、ページ番号を明記して引用するとよいでしょう。

最終的なレポートを書く前に、自分の見解について、もうひとつマインド・マップをつくります。これは時間の節約になるとともに、自分の意見を明確に表明するために役立ちます。

たいていのビジネスマンや学生は、このステップの前段階で、ほぼニーズが満たされるようです。ひとつのテーマについて、「ここまでわかれば十分」と感じるようです。しかし、大学レベルのレポートや、詳しいビジネス文書を書く場合は、この最後のステップが重要になります。

シントピック・リーディングには、どのぐらいの時間をかければよいのでしょうか？

私たちは、四五分間のアクティベーションを二回行なうことをお勧めしています。それだけです。その前に費やす時間は、本一冊につき、一〇～一五分のプレビューと、それに続くフォトリーディングです。以上の作業が済むと、ほとんどの人は、必要なことの八〇～九〇％は達成できたと感じるようです。

三～五冊の本をシントピック・リーディングすると、その中に、もっと詳しく勉強してみたい本、課題の扱いが特に優れた本が見つかることがあります。興味を持ったら、アクティベーションのテクニックを使って、さらに詳しく読んでみましょう。おそらく、ざっと高速リーディングを行なえば、残っている必要な情報は十分得ることができるでしょう。選んだ課題と本の内容にもよりますが、二〇分から四時間もあれば終わります。

シントピック・リーディングは、著者何百人分ものパワーを持つ

この本の参考文献リストに掲載された大勢の著者たち……。彼らはすべて、私がシントピック・リーディングで参照した本の著者です。同様に、フォトリーディング講座も、大勢の著者や研究者の文献を参照しています。さらに、本書が参照している多くの著者たちもまた、それぞれに大勢の著者の文献を参照しています。このように、ひとりの著者が参照する本や新聞、雑誌の数は、ときに五〇〜一〇〇に上ります。

シントピック・リーディングを行なうたびに、何百、何千という頭脳の、何万時間にも及ぶ努力と経験の積み重ねが、あなたの目標達成をサポートするのです。そのパワーを感じるとき、あなたはシントピック・リーディングの醍醐味を心から理解することでしょう。

あなたが選んだいくつかの、文献が非常に面白い組み合わせであったために、それまで誰も考えつかなかった、まったく新しい見解が生まれることもあるかもしれません。

パトリシア・ダニエルソンが、驚くべき事例を報告してくれました。

彼女の生徒のひとりであるブリュッセルの医師は、自分の専門である同種療法（ホメオパシー）の研究に、シントピック・リーディングを利用しました。年四回、ヨーロッパ中から同種療法を専門とする医師たちが集まって、論文を発表し合います。論文の発表に備えて彼女は、同種療法の主要な論文をシントピック・リーディングし、マインド・マップを作成しました。しかし、でき上がったマインド・マップは、いずれもわけのわからないものばかりでした。彼はいったんそれらをファイルにしまい、後日また検討してみることにしました。

二カ月後、彼はマインド・マップを取り出し、床の上に並べてみました。驚いたことに、今度はすべてが完璧な意味を持って頭に入ってきたのです。彼はそこに、ひとつの新しい概念が展開されていることに気づきました。それは、実に革命的なアイデアだったのです。彼は急いでそのアイデアを論文にまとめ、数週間後、学会で発表しました。

学会に参加していた医師たちは、彼の洞察力の深さに驚嘆しました。ひとりの医師は、自分の二〇年のキャリアの中で、彼が説明したような関連性を思いつくことはただの一度もなかった、とコメントしました。

「どうやって、こんな発想が生まれたんだ？」と、彼は医師たちから問われました。そこで彼は、フォトリーディングのプロセスとシントピック・リーディングについて説明しました。ブリュッセルで開かれた次のフォトリーディング講座には、学会に出席した医師のうちの七人が参加してきたそうです。

一〇のステップを、視覚化すると……

ここで、シントピック・リーディングの一〇のステップを、視覚化しながら整理してみましょう。

まず、取り上げたい課題について考えてください。

それについてどんな目標を達成したいですか?

図書館に行って、その課題に関する本を一二冊選んだ自分を想像してください。一二冊の本に簡単に目を通しながら、家に持って帰る本を三冊から五冊にまで絞ります。自分の目標の達成に役立つと感じた本です。

その夜、絞り込んだ本をプレビューし、フォトリーディングします。

翌朝、目覚めたあなたは、待ち切れないかのように、さっそく紙の真ん中に目標を具体的に記して、巨大なマインド・マップの作成に取りかかります。

スーパーリーディングとディッピングを行なって、関連事項を見つけ出し、それらをマインド・マップに書き加えます。読み進めるうちに、何らかの共通パターンが見えてきたら、その結果を表現する言葉を、マップの端の空白部分に記載します。

各著者の見解を調べ、著者同士の意見の相違点を挙げながら、それらをマインド・マップに落としていきます。

ここで忘れてはならないのは、本の内容を理解することが目的ではないということです。目的はあくまでも、あなた自身のゴールを達成することです。

こうして得られた情報の背後にある、頭脳の壮大なパワーを感じましょう。まるで、著者たちが全員、その場所にいて、あなたの目標達成のために知恵を貸してくれているかのようです。

この貴重な知識を、自分にとってもっとも価値あることに、使ってみましょう。シントピック・リーディングのステップが理解できたら、その素晴らしさを実際に体験してみてください。

フォトリーディング　驚くべき成功事例

フォトリーダーのある男性は、数週間にわたり、女性の健康についての本を20数冊フォトリーディングした。彼はその際、正式なアクティベーションは行わなかった。数カ月後、義理の妹が難産の末、子宮の摘出手術を受けた。そのとき彼が披露した繊維腫と子宮内膜症についての知識は、家族はもとより彼自身をも驚かせた。それは、義妹に子宮摘出を余儀なくさせた主な原因だったのである。

「キーボードを打ったことすらほとんどない」くらいコンピュータ音痴だったある会社役員は、コンピュータに関する本や雑誌、マニュアルをフォトリーディングして以来、コンピュータを日常的に使えるように変身した。「1カ月ほどそれを続けたら、あのわけのわからなかった機械が、突然とても簡単に思えるようになったんです！」

ある公認会計士は、仕事関連の教育セミナーに参加した。会場に早く到着した彼女は、セミナー開始前に、配られた資料に目を通すことができた。彼女はフォトフォーカス状態に入り、静かに、そしてすばやく資料に目を通していった。セミナーが始まると、時間がたつごとに、それまでそのテーマについては一度も勉強したことがなかったにもかかわらず、非常によく理解できている自分を実感できた。セミナーの内容を即座にしっかりと理解できたのは、あらかじめ資料をフォトリーディングしたためだと、彼女は考えている。

原稿整理担当のある編集者は、類語辞典をフォトリーディングした。彼は上司から、仕事のスピードと文章の明確さが大幅に向上したと、賞賛された。

ある会社役員は、自分に届くすべてのＥメールをたった３分で読んでしまう。

第11章　ダイレクト・ラーニングで、あなたの才能を発見しよう

私は、クライアントに対してよくこんな質問をします。

「さて、フォトリーディングができるようになったいま、あなたの脳は次に何を達成できると思いますか？」

私が極めて真面目に質問しているということがわかると、彼らは逆に訊いてくるのです。

「フォトリーディングの先には、何があるのですか？」

フォトリーディングの授業を始めて間もなく、フォトリーディングには単なる情報収集を超えた素晴らしい可能性があるということがわかりました。

ここでご紹介する三つのコンセプトを理解すれば、新しいスキルのパワフルな活用法をただちに実践することができます。

「ダイレクト・ラーニング」の奇跡を体験する

フォトリーディングを教えはじめたばかりのころ、私たちは卒業生から、テニス、ゴルフ、ラケットボール、ピアノ、タイピング、人前でのスピーチなどをはじめ、さまざまなスキルが自然に上達したという報告を受けて驚きました。

このような話には、必ずシントピック・リーディングがかかわっていました。自分が興味を持っていることについて複数の本をシントピック・リーディングすると、どういうわけか実際の技術そのものが上達するのです。

スキルが自然に上達したという報告は、成人教育における従来の常識と大きく矛盾するものでした。私はそれまで、知識の獲得と技術の習得は、まったく別の学習活動であると教わってきていました。しかし歴然とした証拠を前にした私は、「肉体的な練習を伴わなくても、行動は学習されるのではないか」と思いはじめたのです。

私たちは「フォトリーディングは情報を無意識レベルで脳に送り込むため、脳はそのとき、認識に対してだけでなく、行動に対してもニューロンの結合を行なうのではないか」という仮説を立てました。「暗示学習」――意識、あるいは記憶を伴わずに行われる学習

――についての文献を調べてみると、どうやら私たちの仮説が突拍子もないものでもないことがわかりました。

明示学習と暗示学習の違いは、頭でわかっていることと、体が知っていることとの違いです。明示的な記憶作用においては、自覚を持って学習し、意図的に思い出すという行為を通して知識を獲得します。一方、暗示的な記憶作用では、自覚を伴わずに学習し、なぜできるのか自分でもわからないのに、ある行為あるいは技術を実践することができる、ということが起こります。

神経学者であるリチャード・レスタック医学博士によると、脳には異なる記憶作用を司る二つの場所があると言います。明示的記憶を司る場所が損傷を受けた場合、新しい知識を学んでも、学んだという自覚を持つことができません。にもかかわらず、新しい知識に基づいた行動ができるようになることが証明されています。

ということは、フォトリーディングは自然に、脳の暗示学習のシステムを作動させているということでしょうか。その真偽を確かめる方法として、南アフリカの医師イジー・カツェフ氏が、フォトリーディング中に脳のどの部分が活動しているかを調べるというアイデアを提案してくれました。アメリカ退役軍人管理局病院の医師のチームが、その実験を実施しました。核医学の専門家、イルマ・モリーナ医学博士とサンドラ・グラシア医学博士が率いる研究チームは、数人のフォトリーダーたちの脳を検査しました。その結果は、研究チームをさらに大規模な研究へと駆り立てるのに十分なものでした。

上達させたい、と思っているスキルに関しての複数の本をフォトリーディングすると、必要な場面で突然それが使えるようになっている、ということを考えてみてください。この暗示学習は、行動面に現われたアクティベーションとして理解することができます。「ダイレクト・ラーニング」は、知識ではなく行動のうえで、アクティベーションを行っていく方法論です。

ダイレクト・ラーニングへのステップ

以下は、ダイレクト・ラーニングを行なうための方法です。

●自分が身につけたいスキルは何かを考えましょう。個人的に強く関心を持っていることが望ましく、興味の対象が具体的であればあるほど、うまく機能します。

●それについて扱っている信頼できる本を数冊選びます。身につけたいスキルについて「ハウ・ツー」形式で指導している実践的な内容の本を選びましょう。理論について述べている本でも、それを活用する方法にまで言及しているものであればけっこうです。それぞれの本には、著者が何年もかけて積み上げてきた知識や技術、他の多くの本から得た貴重な情報が詰まっています。それらをすべて神経回路にダウンロードしていく自分を想像しましょう。

●選んだ本をフォトリーディングします。それぞれの本をフォトリーディングする前に、必ず目的を明確に唱えます。終わったときには、終了のアファメーションを行なってください。一冊終わるごとに、軽くストレッチしたり、水を飲んだりして休憩するとよいでしょう。作業中は、リラックスした集中状態を維持します。途中で何か気の散るようなことが起こったら、少し休んでから、再びその状態に戻るようにしましょう。

●新しいスキルを、行動の上に反映されるように、脳を誘導します。子どものころの遊びを思い出してください。子どもは「○○ごっこ」という遊びをします。ゲシュタルト療法のセラピストは、それを「つもり遊び」と呼びます。心の中でシミュレーションを行なうのです。それが、求める行動を起こすための脳への信号になります。

　以上が、ダイレクト・ラーニングにおけるアクティベーションのステップです。

ダイレクト・ラーニングでは、読んだ本を意図的にアクティベーションしてはいけませ

ん。意識はしばしばプロセスをコントロールしようとしてしまいます。

私たちの文化では、ほとんどの人が「スポーツ根性モノの漫画」のような教育を受けてきています。つまり、「報いを得るためには一生懸命努力しなければならない」と教わってきたのです。たとえばスポーツのコーチはよく、「苦労なくして報いなし」という言葉を口にします。それによって、選手たちに、きつい練習に耐えて努力することが成功への近道だという考え方を植えつけるのです。

ダイレクト・ラーニングは、そのような「常識」に挑戦します。無意識を活用すれば、「もっとも障害の少ない道」を通って、成功できることを証明しているのです。歴史が始まって以来初めて、苦労せずに生きていくということが現実的な選択肢として人間に与えられたのです。それを利用しない手はありません。

ダイレクト・ラーニングは、あなたに、単純な質問を投げかけます。

「あなたは、何が欲しいのですか？」

その質問にはっきりと答えられるなら、それを手にするのは、時間の問題です。

ダイレクト・ラーニングでは、まず自分が身につけたいスキルについて書かれた複数の本をフォトリーディングします。そのあと、自分がそのスキルを自在に操っている姿を思い描きます。この作業があなたの脳に、将来必要なときに適切な行動を自発的に生み出させるのです。

脳は、あなたの成長・発展を実現するために、協力してくれる器官です。

脳に協力を求め、あなたにもたらされる驚くべき結果を信じましょう。

直観を目覚めさせる

一九八六年一月にフォトリーディング講座を行なったときのことです。私は三回目の授業の冒頭で、こんな質問をしました。

「フォトリーディングを始めてから、何かいつもと違った体験をしたという人はいますか？」

するとトムという、それまで比較的おとなしかった生徒が、突然立ち上がって言ったのです。

「フォトリーディングと関係あるかどうかはわからないのですが、多分あなたなら説明できるんじゃないかと思います……。僕はボランティアの消防士です。先週の水曜の夜、僕は火災報知器の音で目覚め、身支度をし、消防署まで行きました。すると、僕が最初に到着していたんです。それまでは自分が一番乗りだったことなんてありませんでした。僕は少しの間そこに立ち尽くしていました。すると突然、アラームが鳴り出したのです。なんと僕は、火災報知器が鳴り出す一〇分前に、それに反応していたんです。これをどう説明すればいいか、わかりますか？」

私は長年にわたって、直観力を引き出すことをテーマに授業を開いてきました。トムの不思議な体験は、「直観力は瞬時に目覚める」ということを示す典型的な例です。信じられないような偶然と思われる体験は、実は、適切にチューニングされた無意識が、明確な意図をもって働きかけた結果だったのです。

フォトリーディングに続いてアクティベーションを行なうとき、あなたはさかんに意識と無意識の間のコミュニケーションを行なっています。そしてこれがまさに、直観です。直観とは、無意識が知覚した情報を、意識的に伝達することなのです。

以下は、直観力と密接につながるための方法です。

●心に浮かぶ映像、会話、感情など、自分の中の感覚に注意を傾ける。
●周辺視野を高めて、知覚の辺境部にある情報に気づく。例えば、レストランなど人の多い場所で聞こえてくるさまざまな会話や、重複した聴覚情報に耳を傾ける。また、いま自分が座っている態勢での体の感じ、気持ちの状態、首の後ろの温度など、運動感覚上のかすかな体験にも注目する。

●自分の周り、そして自分自身の心の中から得られる情報を、興味を持って受け入れる。

●自分の直観で遊ぶ。エレベーターホールに立ったとき、ボタンを押して、どのエレベーターが最初に開くか予想してみる。

直観を磨くことには、フォトリーディングとアクティベーションのスキルを高めることと同時に、人生をより質の高い、そして充実したものにする一石二鳥の効果があります。

第12章　フォトリーディング・ホール・マインド・システムの極意

一分間に六〇ページをフォトリーディングすることが可能な真の理由は、あなたがもともとその能力を持っている、ということです。あなたの脳には、すでにその才能がインストールされているのです。それをぜひ日常生活の一部にしようではありませんか。

積極的に活用し続けることで、あなたはやがて、フォトリーディングをはるかに超越する能力が自分に備わっていることを発見するでしょう。

積極的なリーディングをしよう

私は世界でもっとも優秀な学習者を研究するという素晴らしいチャンスに恵まれました。

それは赤ちゃんです。

赤ちゃんは、積極的で、常に目標を目指す、飽くなき学習者です。

妻と私は、三人の子どもたちが物理的、精神的世界とかかわる様子を観察するのが大好きでした。この世を理解しようする彼らの欲求は大変なものでした。

三人の息子たちは、いまでは赤ちゃんの段階を卒業してずいぶん経ちますが、依然として積極的に自分たちの世界を開拓し続けています。学習とは、積極的な活動です。そして活動こそが才能の原動力になります。受け身になったとき、私たちの才能は輝きをなくしてしまうのです。

テレビは、私たちを受け身にします。テレビは私たちを、ひたすら待機させます。

「あなたが求めるものはすべて提供いたします、このコマーシャルのあとに……！」

文書を読むことが受け身の状態で行われたら、私たちの才能は抑え込まれてしまいます。いかなるタイプの読書においても、積極的であることが大切です。積極的であればあるほど、文書を読む作業はスムーズになり、求める結果を、より簡単に達成できるようになります。

優れた読み手は、目的意識を持ち、常に著者に質問を投げかけます。そして読書の間、絶えず高い集中力を維持します。積極的な読書の必須条件である「集中」は、訓練によって獲得するというより、習慣によって得られる姿勢です。

自らの意志で、自分の目的のために読書を行なっている、ということを、もう一度思い出しましょう。その目的が情報を得るためであっても、何かを評価するためであっても、あるいは単にリラックスするためであっても、読書が自らの選択に基づいた行動であることを確認してください。自分の決定であることを意識することは、読書の目標を達成する上で、大変な違いを生みます。意識的に欲して行なう読書は、あなたは脳のすべての能力を活用するのです。

これを書きながら、私は加速学習の創始者、ロザノフ博士のことを考えています。若いころ彼は、自分が考案した学習の目的は、教室から恐怖心を取り除き、生徒の無意識レベルにおける情報受信能力を高めることだと考えていました。しかし、年月とともに考え方は少しずつ変わっていき、やがて生徒に、より多くの選択肢を与えるということが、彼にとって最も重要なゴールとなったのです。

これはまさに私が、読書に関して提供したいものなのです。

本書における私のゴールは、読書の新しいパラダイムを提示し、印刷物にかかわるときの、より多くの選択肢を提供することです。

より積極的で、明確な目的意識を持った、高いレベルを目指す読者になるために、フォトリーディング・ホール・マインド・システムをあなたの伴侶にしてください。

すばやく効果的な読書。現在の限界を超えた高いレベルでの理解。
そして何より脳に備わるすべての能力を使って、目標を達成する喜び。
あなたは、これらのすべてを手にすることができるのです！

新しいシナリオについて

第2章で紹介した「二つ目のシナリオ」を覚えていますか？　もう一度、それについて考えてみましょう。

いま、あなたは、そのシナリオを、スムーズに実践する用意ができています。

あなたは毎日、余裕のある気分で仕事を始められる。効果的な決断をタイミング良く下すために必要な情報をすべて把握しているからだ。何かを読むときは、いつも無理のないリラックスした状態で読める。あなたの提案は、明確な根拠に裏づけられている。その結果、ほとんどの場合、同僚、そしてお客に支持される。

専門的な報告書を読むのは、これまでは時間がかかる作業だった。でも、いまではひとつの書類につき、ほんの数分しかかからない。一日の終わりには、デスクの上は整然と片づいており、あなたは、明日への準備万端、といった気分で家路に着く。

この状態は、私生活においても同様。未読の本や雑誌、新聞、手紙などで散らかり放題だったリビングは、もう過去のこと。毎日、一〇分から一五分で、その日のニュースを頭にインプットできる。一回腰を下ろすだけで、「読むべきもの」の山はまたたく間に消えていく。そして余った時間で、あなたは「やるべきこと」を順に片づけていくのだ。

この読書スピードのおかげで、新しいことにチャレンジできるようになった。セミナー受講、学位取得、昇進。自分の好奇心を探究できる時間が持てるようになった。新しいスキル、知識を身につけた。無理がないから、学ぶことがますます楽しくなる。いまでは、小説や雑誌、娯楽のための読書等、仕事に関係のない本を楽しむ時間も持てる。もちろん、自由に好きなことをする、遊びの時間も増えた。

あなた自身の可能性を見つめて、それがもたらす幸福を想像してください。
あなたはいま、どこまでできるでしょうか。
このシナリオを自分にとっての現実とするために、この二四時間以内に、どこまで踏み出すことができるでしょうか。

私たちを取り囲む世界においても、私たち自身の生活においても、変化は避けられないものです。フォトリーディングは、変化に上手に対応していく力となります。そして、人間性の成長を促進します。

フォトリーディング・ホール・マインド・システムを通して、フォトリーダーたちは、学校での、職場での、地域社会での、国家での、国際社会での、そして地球上での変化にスムーズに対応していくことができるでしょう。

フォトリーディングを活用することで、あなたは絶え間ない変化の中で、積極的な役割を果たしていくことができます。

さあ、さっそくフォトリーディング・ホール・マインド・システムの各ステップ、あるいはすべてのプロセスを実践してみましょう。

あなたの、ひとつひとつの行動が、成長へとつながっていくのです。

フォトリーディング　驚くべき成功事例

あるマウンテンバイクのレーサーは、フォトリーディングのおかげで視野が拡大したため、ダウンヒルのタイムが向上した。「私は自分の直観を信頼しています。レース中はとてもリラックスしていて、バイクはでこぼこ道をまるで浮かんでいるかのように進むんです」

ある新入社員は、入社した初日に会議に出席することになった。彼女は会議の前に数分間、レポートをフォトリーディングした。すると会議では、まるでずっと前からその会社で働いているかのように積極的に発言することができた。「会議自体が、フォトリーディングしたレポートのアクティベーションとなりました。私自身、会議に出ていた新しい同僚たちに勝るとも劣らず、驚いていましたよ！」

スキー場で過ごした休みの間、二人は毎晩、暖炉の前で読書をして過ごした。フォトリーダーは小説を5冊持ってきていたが、もうひとりのほうは、たった1冊だった。

ある化学者は、学生時代のテキストをフォトリーディングすると、かつて理解に苦しんだ図表がとてもわかりやすくなることに気づいた。

二人の長年のテニス仲間がいた。そのうちのひとりがフォトリーディングのコースを受講し、テニスについての本を5冊フォトリーディングした。すると彼のテニスの腕は即座に上がり、そのあまりの上達ぶりにもうひとりは言葉も出ないほどだった。奇蹟的な上達のわけを知った彼は、さっそく次のフォトリーディングのクラスを受講し、その結果、彼のテニスも同じように上達した。

ある初心者フォトリーダーは、フォトリーディングのプロセスに慣れるために、数週間にわたって毎日10冊の本をフォトリーディングした。ある朝、彼は量子物理学と脳との関係について書かれた本をフォトリーディングした。その日の午後、フットボールの試合を観戦中、ゲームがやや滞っていたとき、彼の頭の中に突然、物理学についてのアイデア、コンセプト、原理、理論が次々と浮かんできた。数日後、彼はその体験を同僚たちに話した。同僚のひとりに物理の専門家がいて、彼にいくつか質問をしてきた。彼の答を聞いたその専門家は「素人にしては物理学について驚くほど詳しい」と言って感心した。フォトリーダーはとても自身に満ちていた。フォトリーディングによってすでに理解のための土台ができているので、もしその本をアクティベーションすれば、彼はそのテーマについて簡単に知識を深めることができるであろう。

〈復習ガイド〉

フォトリーディング・ホール・マインド・システムの各ステップ

本書が繰り返し述べてきた重要な原則のひとつに、フォトリーディング・ホール・マインド・システムは「練習」するものではない、ということがあります。練習するのではなく、利用するのです。

本書で学んだことをしっかり定着させるために、読みたい本を一冊用意して、次ページからの各ステップを実行してみましょう。行動に移すのが早ければ早いほど、効果的です。いますぐ取りかかるか、この三日以内に実行する時間をいま決めてしまいましょう。

復習が必要なときは、いつでも、この復習ガイドを参考にしてください。

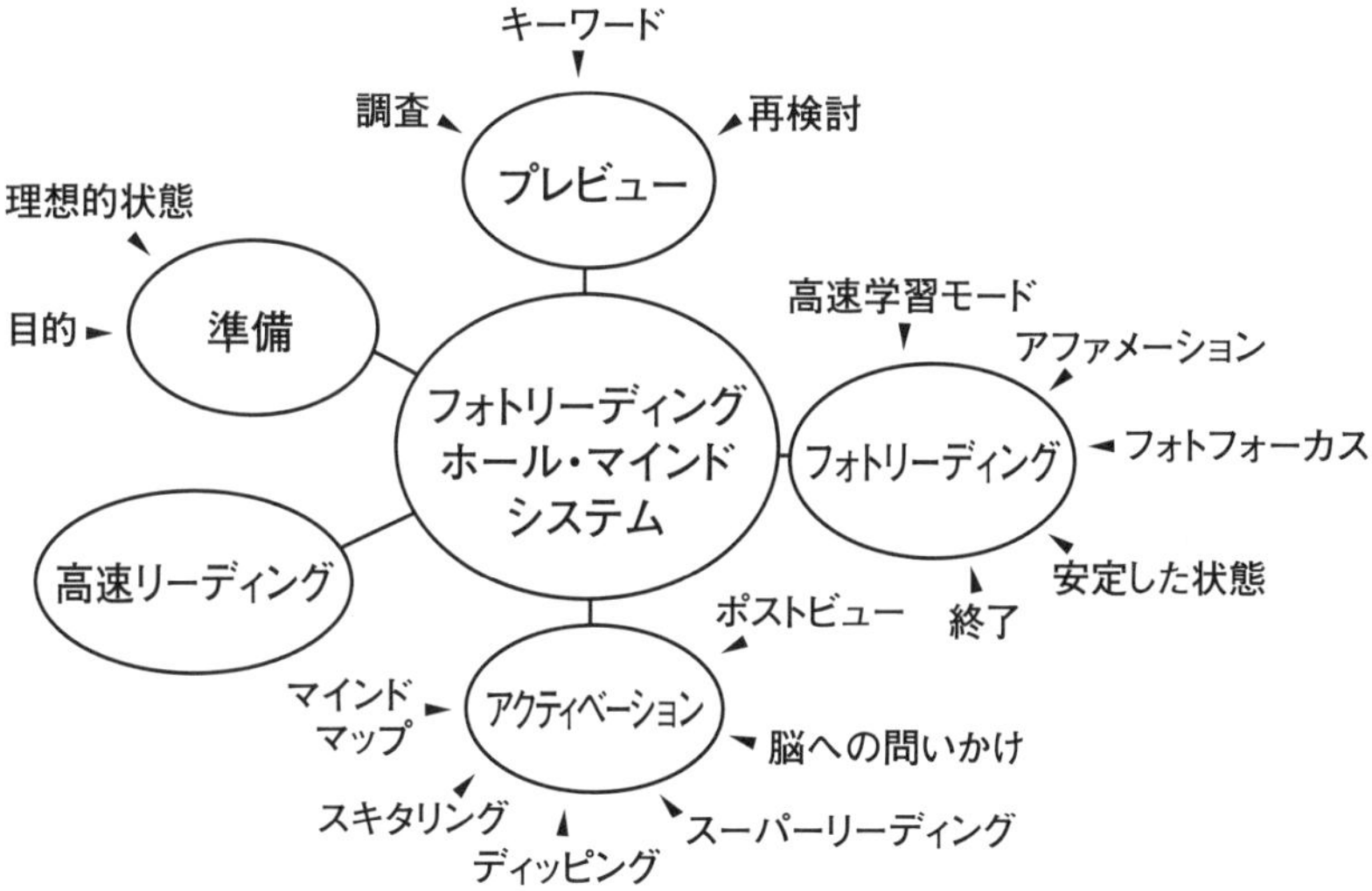
キーワード
調査
再検討
プレビュー
理想的状態
目的
準備
高速学習モード
アファメーション
フォトリーディング
ホール・マインド
システム
フォトリーディング
フォトフォーカス
高速リーディング
安定した状態
ポストビュー
終了
マインド
マップ
アクティベーション
脳への問いかけ
スキタリング
ディッピング
スーパーリーディング

ステップ1――準備

●読書の目的を明確化する。

●理想的な学習状態である「リラックスした集中状態」に入る。

ステップ2――プレビュー

●文書全体を「調査」する。

●キーワードを抜き出す。

●入手した情報を見直し、先のステップへ進むか否かを決定する。

●プレビュー時に陥りやすい罠に注意する。調査を一分ほどにとどめ、上の作業をポストビューとしてフォトリーディングのあとに行なう方がよい場合もある。

ステップ3――フォトリーディング

●フォトリーディングを始める準備を整える。

●高速学習モードに入る。

●その文書を読む目的と、その目的を自分は達成することを、はっきりと宣言（アファメーション）する。

●意識を一点に集中させて（ミカン集中法）、「ブリップ・ページ」を出現させ、フォトフォーカスの状態に入る。
●心の中で、リラックス・リラックスと唱えながら、テンポよくページをめくる。呼吸のリズムを深く一定に保つ。
●終わったら、「情報がしっかり取り込まれたこと」と「その情報を活性化できること」を、明確に宣言（終了のアファメーション）する。
●フォトリーディング前のプレビューを最小限にとどめた場合は、この時点でポストビューを行なう。文書をざっと調査し、キーワードを抜き出し、質問事項を用意する（まだ答は探さないこと）。ポストビューの作業は一〇〜一五分ほどで終える。

ステップ4――アクティベーション

●アクティベーションは、フォトリーディングのあと数分間、理想的には一晩おいてから行なうのがよい。その時間が情報の熟成期間となる。
●脳に問いかけをする。フォトリーディングした文書の内容について自分に質問を投げかける。これがアクティベーションを始動させる。
●興味を引かれる箇所をスーパーリーディングする。ページの中央を右から左へ（英語の場合は、上から下へ)、すばやく視線を走らせ、テキストを大きなかたまりごとに意識の中に取り込んでいく。

●テキスト中の特定の文章を拾い読み(ディッピング)し、自分に投げかけた質問の答を見つけていく。

●スーパーリーディングとディッピングの組み合わせのかわりに、スキタリングを行ってもよい。その段落のトピックセンテンス(主題文)を読んでから、主題の展開部を、視線を不規則に移動させながら見ていき、そのあと最後の文章を読む。

●文書の主要コンセプトを、図に表わしたマインド・マップをつくる。

●そのほかのアクティベーションの形として、グループ・ディスカッションや夢を活用する等、知的活動を多面的に試してみよう。

ステップ5——高速リーディング

文書を最初から最後まで、中断せずにいっきに読んでいく。必要なだけ時間をかけてよい。文書の難易度や重要性に応じて、スピードを柔軟に調整する。

シントピック・リーディング

1 目標を設定する。

シントピック・リーディングの最初のステップは、自分にとって、本当に意味のある目標を設定することである。

2 文献目録をつくる。

次のステップは、自分が読む本をリストアップすることである。選んだ本をプレビューして、目的にかなっているかどうかを確認する。

3 アクティベーションをする二四時間前に、選んだ本をすべてフォトリーディングする。

脳は、新しく取り込まれた情報を整理するために、熟成期間を必要とする。アクティベーションの二四時間前にフォトリーディングを行おう。

4 一枚の大きなマインド・マップをつくる。

読んだ本、一枚の大きな紙、何種類かのカラーペンを手元に用意する。シントピック・リーディングのこれ以降のメモ取りは、常にマインド・マッピングで行なう。

5 関連箇所を見つける。

それぞれの本をスーパーリーディングおよびディッピングして、自分の目的に関連する箇所を見つけていく。

6　自分の言葉で要約する。

マインド・マップに書いたすべての事項を見直し、テーマについて感じることを自分自身の言葉で簡単にまとめてみる。

7　テーマ（主題）を見つける。

各著者の見解における類似点と相違点を探す。多くの著者に共通する見解は何かを見極める。それらをマインドマッピングでメモする。

8　論点を定義する。

著者の間に見解の相違があるとき、その部分がテーマの論点となる。論点を理解することで、テーマに対する知識は大きく深まる。スーパーリーディングとディッピングで、論点に関するキーポイントを見つけ出す。

9　自分自身の見解を導き出す。

論点を把握していく過程で、あなたは自然に自分自身の見解を作り始める。優れたシントピック・リーダーは、問題をあらゆる側面から見るとともに、最初はそのいずれからも独立した立場を維持する。そして十分な情報が集まった時点で、自分の見解を明確にする。

10　活用する。

目的や必要に応じて、得られた情報・知識を活用する。

参考文献

Adler, Mortimer J.,and Charles Van Doren.*How to Read A Book.* New York:Simon and Schuster,1972

Bennett,J.Michael.*Four Powers of Communication:Skills for Effective Learning.* New York :McGraw-Hill,1991

Bennett,J.Michael. *Four Powers of Greatness Personal Learning Course.* Wayzata,MN: Learning Strategies Corporation,1998.

Barker, Joel. *Future Edge:Discovering the New Paradigms of Success.* New York: William Morrow & Company, Inc., 1992

Belf, Teri-E, and Charlotte Ward. *Simply Live It UP: Brief Solutions.* Bethesda, MD: Purposeful Press, 1995.

Buzan, Tony. *The Mind Map Book.* New York: Penguin Books,1996

Cartwright, Rosalind, and Lynne Lamberg. *Crisis Dreaming: Using Your Dream to Solve Your Probrems.* New York: Harper Collins Publishers, 1992

Campbell, Don G. *100 Way to Improve Teaching Using Your Voice and Music: Pathway to Accelerate Learning.* Tucson, AZ: Zephyr Press, 1992.

Carson, Richard. *Taming Your Gremlin.* New York: Harper Perennial, 1983.

Copland, Aaron. *What to Litsten for in Music.* New York: New American Library, 1957.

Csikszentmihaiyi, Mihaly. *Flow: The Psychology of Optimal Experience.* New York: Harper & Row Publishers, 1990.

Csikszentmihaiyi, Mihaly. *Finding Flow: The Psychology of Engagement with Everyday Life.* New York: Harper & Row Publishers, 1997.

Cudney, Milton, and Robert Hardy. *Self-Defeating Behaviors: Free Yourself from the Habits, Compulsions, Feelings, and Attitudes That Hold You Back.* New York: Harper Collins Publishers, 1991.

Davis, Ron D. *The Gift of Dyslexia: Why Some of the Smartest People Can't Read and How They Can Learn.* San Juan Capistrano, CA: Ability Workshop Press, 1994.

Dennison, Paul E., and Gail E. Dennison. *Brain Gym: Simple Activities for Whole Brain Learning.* Ventura, CA Edu-Kinesthetics, 1986.

DePorter, Bobbi. *Quantum Business: Achieving Success Through Quantum Learning.* New York: Dell Publishing, 1997.

Diamond, Marian Cleves. *Enriching Heredity.* New York: The Free Press, 1988

Dilts, Robert B. *Strategies of Genius: Albert Einstein.* Capitola, CA: Meta, 1994.

Dilts, Robert B. Todd Epstein, Robert W. Dilts. *Tools for Dreamers: Strategies for Creativity and the Structure of Innovation.* Cupertino, CA: Meta, 1991

Dixon, Norman F. *Preconscious Processing*. Chichester, NY: Wiley, 1981.
Dixon, Norman F. *Subliminal Perception: The Nature of a Controversy*. New York: McGraw-Hill, 1971
Dryden,Gordon, and Jeannette Vos. *The Learning Revolution: A Life-Long Learning program for the World's Finest Computer: Your Amazing Brain!* Rolling Hills Estates, CA:Jalmer Press, 1994
Edelman, Gerald M. *Bright Air, Brilliant Fire: On the Matter of the Mind*. New York: Basic Books, 1992
Edelman, Gerald M. *Remembered Present*. New York: Basic Books, 1989.
Edwards, Betty. *Drawing on the Right Side of the Brain*. Los Angeles: J. P. Tarcher, 1979.
Gardner, Howard. *Multiple Intelligence: The Theory in Practive*. New York: Harper Collins Publisher, Inc., 1993
Gelb, Michael. *How to Think like Leonardo da Vinci*. New York: Delacourte Press,1998.
Goleman, Daniel. *Emotional Intelligence: Why It Can Matter More Than IQ*. New York: Bantam, 1995.
Gordon, F. Noah. *Magical Classroom: Creating Effective, Brain-friendly Environments for Learning*. Tucson, AZ: Zephyr Press, 1995.
Harman, Willis, and Howard Rheingold. *Higher Creativity; Liberating the Unconscious for Breakthrough Insights*. Los Angels, CA: Jeremy P. Tarcher, Inc., 1984.
Hunt, D. Trinidad. *Learning To Learn: Maximizing Your Performance Potential*. Kaneohe, HI: Elan Enterprises, 1991.
Jensen, Eric. *Brain-based Learning & Teaching*. Del Mar, CA: Turning Point Publishing, 1995.
Jensen, Eric. *Introduction to Brain-Compatible Learning*. SanDiego: The Brain Store,Inc.,1998.
Jensen, Eric. *The Learning Brain*. SanDiego: Turning Point Publishing, 1994.
Kandel, Eric R., James H Schwartz, and Thomas M Jessell. *Essentials of Neural Science and Behavior*. Norwalk, CN: Appleton & Lange, 1995.
Kline, Peter. *The Everyday Genius: Restoring Children's Natural Joy of Learning*. Arlington, VA: Great Ocean Publishers, 1998.
Kline, Peter, and Laurence Martel. *School Success: The Inside Story*. Arlington, VA: Great Ocean Publishers, Inc., 1992.
LaBerge, Stephen, and H. Rheingold. *Exploring The World of Lucid Dreaming*. New York: Ballantine Books, 1991.
Lao Tsu. *Tao Te Ching*. Translated by Gia-Fu Feng and Jane English. New York: Vintage Books, 1972.

LeDoux, Joseph. *The Emotional Brain: The Mysterious Underpinnings of Emotional Life.* New York: Simon & Schuster, 1996.
Lozanov, Georgi. *Suggestion in Psychology and Education.* New York: Gordon and Breach, 1978.
Margulies, Nancy. *Mapping Inner Space: Learning and Teaching Mind Mapping.* Tucson, AZ: Zepher Press, 1991.
Master, Robert. *Neurosperk: Transforms Your Body While You Read.* Wheaton, IL: Quest, 1994.
Mindell, Phyllis. *Power Reading: A Dynamic System for Mastering All Your Business Reading.* Englewood Cliffs, NJ: Prentice-Hall,Inc.,1993.
McCarthy, Michael. *Mastering the Information Age.* Los Angels: J.P. Tarcher, 1991.
Musashi, Miyamoto. *A Book of Five Rings: The Classic Guide to Strategy.* Woodstock, NY: The Overlook Press,1974.
Ostrander, Sheila, and Lynn Schroeder, with Nancy Ostrander. *Super-Learning 2000.* New York: Delacorte Publishing, 1994.
Perkins, David. *Outsmarting IQ: The Emerging Science of Learnable Intelligence.* New York: Free Press, Simon & Schuster, 1995.
Pert, Candace B. *Molecules of Emotion: Why You Feel the Way You Feel.* New York: Scribner, 1997.
Pinker, Steven. *How the Mind Works. Pinker, Steven.* New York: Norton, 1997.
Prichard, Allyn, and Jean Taylor. *Accelerating Learning: The Use of Suggestion in the Classroom.* Novato, CA: Academic Therapy Publication, 1980.
Promislow, Sharon. *The Top 10 Stress Releasers: Simple, effective self care to re-educate your reaction to stress from the inside out!* Vancouver, B. C.: Kinetic Publishing Corporation, 1994.
Ramachandran, F. S. and Sandra Blakeslee. *Phantoms In The Brain: Probing the Mysteries of the Human Mind.* New York: Morrow, 1998.
Restak, Richard M. *The Modular Brain: How New Discover in Neuroscience Are Answering Age-Old Questions About Memory, Free Will, Consciousness, and Personal Identity.* New York: Macmillan, 1994.
Robinson, Adam. *What Smart Students Know: Maximum Grades. Optimum Learning. Minimum Time.* New York: Crown, 1993.
Rose, Colin and Malcolm Nicholl. *Accelerated Learning for the 21 st Century: The Six-Step Plan to Unlock Your Master-Mind.* NY: Delacorte Press, 1997.
Rose, Steven. *The Making of Memory.* New York: Doubleday, 1992.
Sheele, Paul. *The PhotoReading Whole Mind System.* Wayzata, MN: Learning Strategies Corporation, 1997(2 nd ed)

Sheele, Paul. *The PhotoReading Personal Learning Course.* Wayzata, MN:Learning Strategies Corporations, 1995.
Sheele, Paul. *Natural Brilliance: Move from Feeling Stuck to Achieving Success.* Wayzata, MN: Learning Strategies Corporation, 1997.
Sheele, Paul. *Natural Brilliance Personal Learning Course.* Minneapolis, MN: Learning Strategies Corporation, 1997.
Seigel, Robert Simon. *Six Seconds to True Calm.* Santa Monica, CA: Little Sun Books, 1995.
Senge, Peter. *The Fifth Discipline.* New York Doubleday, 1990.
Sher, Barbara, and Ann Gottieb. *Teamworks!* New York: Warner Books, 1989.
Shlain,Leonard. *The Alphabet Versus the Goddess: The Conflict Between Word and Image.* New York: Viking, Penguin Group, 1998.
Smith, Frank. *Reading Without Nonsense. 2 d ed.* Columbia University, New York: Teachers College Press, 1985.
Smith, Frank.. *To Think.* Columbia University, New York Teachers College Press, 1990.
Stauffer, Russell. *Teaching Reading as a Thinking Process.* New York: Harper & Row, 1969.
Suzuki Shunryu. *Zen Mind, Beginner's Mind.* New York: John Weatherhill, Inc., 1970.
Talbot, Michael. *The Holographic Universe.* New York: Harper Collins Publishers, 1991.
Watzlawick, Paul. *Ultra-Solutions: Or How to Fail Most Successfully.* New York: W. W. Norton & Company, 1988.
Wenger, Win. *A Method for personal Growth and Deveropment.* Gaithersburg, MD: Project Renaissance, 1990.
Wenger, Win, and Richard Coe. *The Einstein Factor: A Proven New Method for Increasing Your Intelligence.* Rocklin, CA: Prima, 1996.
Witt,Scott. *How To Be Twice As Smart: Boosting Your Brain Power and Unleashing the Miracles of Your Mind.* West Nyack, New York: Parker, 1983.
Wise, anna. *The High-Performance Mind.* New York: Tarcher, Putnam, 1997.
Wolf, Fred Alan. *Ster Wave: Mind Consciousness, and Quantum Physics.* New York: Macmillan, 1984.
Wolinsky, Stephen. *Trance People Live:Healing Approaches in Quantum Psychology.* Falls Village, CT: The Bramble Company, 1991.
Wurman, Richard Saul *Information Anxiety.* New York: Doubleday, 1989.
Wycoff, Joyce. *Mind Mapping.* New York: Berkley Books, 1991.

監訳者あとがき――神田昌典

本書の著者、ポール・シーリィとの出会いは、衝撃だった。

私は、彼のレクチャーを受けるために、米国ミネアポリスに飛んだ。

「ポールとは、どんな奴か？　そして、どんなことを喋るのか？」

期待と不安を抱えながら、約束の場所で彼を待った。

時間に遅れること一五分。現われた彼は、開口一番、こう言った。


「Do you have any questions?（質問は？）」


私は戸惑った。そう、急に言われたって……。

なんとか質問を見繕った。

「えーと……フォトリーディングの仕組みはわかるんですけど、どうも本当にできているのかどうか分からないんです」

そのとたん、彼は、堰を切ったように話し出した。

脳の感知能力は、とてつもないほど巨大なこと。脳は、この瞬間にも、一秒間に数百万バイトもの情報を処理していること。人間の脳には、既に大量の知識が詰まっていること……。

私は、彼の説明を聞きながら思った。

たしかに、人間の脳の素晴らしさは、わかる。しかし私は、それを実感できていない。だから私は、まだ納得のいかない顔をしていた。

彼は言った。

「一体、何が分からないんだ?」

私は、答えに窮した。気まずい沈黙だ。

「私は、この本の著者であり、そして、フォトリーディング・ホール・マインド・システムの開発者だよ。あなたの求める答は、すべて目の前にあるんだよ。」

そのときに、ハッと気づいた。私の人生が、その瞬間に変わったといってもいい。

あぁ、そうか！

私は、何がわからないのかすら、わからなかった。

だから、質問すらできなかった。

質問ができなかったのは、なぜだ？　そうか、明確な目的を持っていなかったからだ！

つまり、明確な目的を持てば、適切な質問ができる。適切な質問をすれば、適切な答えは、すべて目の前にある！

それから、私の人生の進み方は、飛躍的にスピードアップした。

そう、文書を読むのが速くなっただけではない。生きるスピードが速くなったのだ。いままでの時間で、何倍も生き抜けることができるようになった。

私がフォトリーディングに出会ったのは、五年前だ。

「頭にページを写し取る」などということが、当初はとても信じられなかった。

しかしいまでは、この可能性に対して、震えるほど打ちのめされている。

私は毎日、このフォトリーディングの恩恵を得ている。いままで一週間に一冊しか読めなかった私が、現在は、毎日一冊の本を読んでいる。そして、これは誰にでもできることだ。私だけではなく、私の会社のスタッフも、三日の研修を受けた結果、一日一冊の本を読んでいる。

決して驚くべきことではない。フォトリーディングを学んだものにとっては、当たり前のことなのだ。

このスキルは、全世界で爆発している。いままで二〇年かかって、二〇万人のフォトリーダーが生まれた。しかし現在、この知識の拡大は加速化しており、アメリカだけで、月に七〇〇〇人の新フォトリーダーが生まれているのである。日本人の知らない間に、世界では、知識の革命が起こっていたのである。

先日、私は、田町の書店で本を何冊も買った。

次の下車駅まで、三駅あったので、その間、フォトリーディングで本を読んだ。ペラ、ペラ、ペラ……。一秒一ページのペースである。
そのとき、私の隣に座った人も本を読んでいた。彼の目は、ページの上に停まっていた。動かない。

「かわいそう」

悪いと思ったが、私は、そう感じてしまった。

想像してみてほしい。この違いは、将来、どんな差になるんだろう。

一年後。三年後。五年後……そして一〇年後。

それは、あなたの人生にどれだけの違いを生むのか?

私は、感謝した。この知識に出会ったことに……。


そして、あなたは、この本を手にとった。

おめでとう!

あなたが、二一世紀の知識社会を切り開くパイオニアなのである。


ようこそ、この素晴らしい世界へ!

〈世界の著作者がフォトリーディングを賞賛〉

読書力を短期間に向上させるプログラムとして、フォトリーディングは間違いなく、今日最高の方法論だといえるでしょう。しかも、そのスキルは誰にでも、しかも生涯永年にわたって活用できるのです。

ミネソタ大学教授　J・マイケル・ベネット
『Efficient Reading for Managers』の著者

リーディング力を向上する本の中で、本書は最良の作品です。本当に詳しく学習プロセスを理解する作者によって書かれた本が、遂に登場したのです。

エリック・ジェンセン
『The Learning Brain and Super Teaching』の著者

フォトリーディング・ホール・マインド・システムを使えば、学習の効率が上がります。そして、毎日の文書処理に費やす時間を大幅に減らすことができます。自分にとって重要な情報や、じっくり吟味したい文章には、無意識に目が止まるのです。

シャーロット・ワード
『Simply Live It Up』より抜粋

フォトリーディングによって、私を含めた多くの人々が、毎分2万5000語のスピードで文書を処理できるようになった。

ブライアン・マティモア
『Success Magazine』より抜粋

フォトリーディングは、予想もしない刺激的な方法で人生を変えてしまう。それればかりではない。「どうすれば新しいアイデアを提示できるのか？」「どうすれば新しい世界を切り開くことができるのか？」こうした課題をもって書かれた本のなかで、ポール・シーリィの本は、極めて模範的な例である。

ピーター・クライン
『The Everyday Genius』の著者

フォトリーディングは宝の山です。豊かな人生を生きるための、本当に強力なツールです。自信をもって推薦します。

デイヴィッド・マクナリー
『Even Eagles Need a Push』の著者

フォトリーディングは、リーディングにおいて、人間進化の自然な一歩である。

ウィン・ウェンガー博士
『The Einstein Factor』より抜粋

フォトリーディングには、本当に、度肝も抜かされる。それが目指すのは、「無意識」にスナップ写真を撮らせること。つまり、一目でページ全体を脳に写し取ることである。これは、21世紀のスーパー学習者にとっては、普通のスキルになるかもしれない。

シーラ・オストランダー＆リン・シュローダー
『Super Learning 2000』より抜粋

フォトリーディングは、脳を最大限に活用し、学習活動を効率的にできる。驚くべきシステムです。

ポール・マケンナ博士
『The Hypnotic World of Paul McKenna』の著者

情報量は圧倒的に多く、その変化は速く、私たちには時間がない。そんな時代に、フォトリーディングは福音だ。しかもこれは簡単に誰もが取り組める、「眠っている脳の力を目覚めさせる方法」でもある。そして何より（やってみればわかるが）、自分の成長とワクワクする面白さとを同時に満たしてくれる最高の遊びなのだ！

小阪裕司
『「惚れるしくみ」がお店を変える！』の著者

正直に告白します。いままで１週間に１冊の本を読むことできませんでした。読む気はあるのですが、布団に入って10分もすれば、眠ってしまうのです。翌日も、10分後には眠ってしまう。でも、いまは１日１冊、読書ができます。さらに、私だけでなく、会社の社員全員が、いまでは１日１冊読めるのです。このスキルを持っている会社と持っていない会社の、数年後の差を考えると、恐ろしく思えます。

神田　昌典
『あなたの会社が90日で儲かる！』『口コミ伝染病』の著者

我々は、詩人ではなく、会計士の時代に生きている……

……あるいは歌手ではなく、政治家の時代に。探検家ではなく、管理人の時代に、生きている。我々はつまり、バランスを欠いた世界に生きているのである。このアンバランスな状況を直すことができるなら、どんなものでも拍手で迎えたい。

フォトリーディング・ホール・マインド・システムの開発は、このアンバランスの是正に向けて、大きな前進となった。ポールには、いくつもの注目すべき業績がある。特に重要なのは、次の3点である。

●高度な加速学習の技術を身につけるための、具体的・実用的なシステムをつくり上げげた業績。

●誰にとっても重要で、かつ必須な活動である読書のスキルを、高度に洗練させた業績。ポールは、読書をいくつものステップに分解し、二つの脳半球が連続して共同作業をするプログラムに組み立てなおした。そのおかげで、誰もが生まれながらに　—　しかし、ほとんど自覚することなく　—　持っている能力を実際に活用できるようになった。

●実践者の意識と無意識をつなぎ、確実に結果を出すシステムを、非常に学習しやすい方法で紹介したという業績。

お見事、ポール・シーリィ！

ジョン・グリンダー
神経言語学プログラミング（ＮＬＰ）　共同開発者

すべてのテストで成績トップになりました！

18カ月前、私は修士号を取得するために、ある講座を受講しました。しかし勉強にあまりに多くの時間がかかる。さらに、成績もCもしくはDと良くなかったため、途中で断念してしまいました。

その後、海軍の通信教育で、フォトリーディングを学ぶ機会に出会いました。「これは使える！」と思い、このテクニックが、実践の場で本当に使えるかどうか、試してみました。私は地元の短期大学で、商法とマーケティングの二つの講座を受講しました。その際、フォトリーディング・ホール・マインド・システムのみを使って勉強しました。

結果は、驚くべきものでした。

授業に出ているだけで、Aを取得。しかも、両クラスとも、すべてのテストで最高スコアを達成したのです。さらに凄いのは、それだけの成績を残しながら、家族と過ごす時間もたっぷりあったということです。

職場の仲間も家族も、信じられないと言います。一年前なら、私も彼らと同じく、信じられないと言うでしょう。しかし今は、成績表を見せて、自分の成長ぶりを証明することができます。それでもなお、彼らは信じられないようですが…。

私自身、本当に驚いています。

ランディ・ノウ
カリフォルニア州ノース・ハイランズ

フォトリーディングを使って、リューマチ学と理学療法の専門家になりました

私は、重要な試験の準備で、何千ページものテキストを勉強しなければなりませんでした。そこで、１カ月間にわたって毎日フォトリーディングとアクティベーションを行ない、リューマチ学の教科書をマインドマッピングしました。

筆記試験を受けたとき、私は自分の中に正しい答があることが確信できました。成績は上から二番目。また三日間にわたる実技試験でも良い成績を収めることができました。さらに口頭試験では、なんとトップの成績となりました。

イルディコ・キス医学博士
ハンガリー

かつて２時間かかっていたことを、今では10分で終わらせることができます

私は税理士ですが、フォトリーディングのおかげで、33巻もある国税局の法律書から、必要な情報を探し出す時間が大幅に削減することができました。まず索引で調べたいセクションを見つけます。そして、そのセクションを30〜40ページほどフォトリーディング。すると、必要な情報がまるでページから飛び出してくるかのように、すぐに見つかるのです。

フレッド・フレデリクス
香港

仕事の能率が上がりました

ソフトウエアのマニュアルをフォトリーディングしたら、プログラミングを行うとき、コードが自然に頭に浮かぶようになりました。おかげで、いちいち手を止めてマニュアルを見直す必要がなくなりました。以前は、コードを入力し、テストし、改良を加え、またマニュアルを見る、という作業を繰り返さなくてはなりません。いまでは、プログラムが機能するかどうかが直観的にわかるようになりました。

ルー・ウィルソン
イギリス、ミドルセックス

給料が二倍になりました

フォトリーディングを学んだ後、私は28日間で手つかずのまま山積みされていた本を一挙に40冊も片付けることができました。仕事のプレゼンテーションにもフォトリーディングのテクニックを活用したところ、それまでの二倍の給与でヘッドハントされました。

ホアン・ヒメネス
プエルトリコ、リオ・ピエドラス教育審議会

売り上げが倍増しました

私は会社を経営しているので、売り上げを伸ばす方法を常に探しています。フォトリーディングを学んだ後、時間が取れず読んでいなかった何冊ものマーケティングの本を読みました。その情報を使って、新しい商品を開発したところ、売り上げが二倍に伸びました。

ジョン・デュケイン
ミネソタ州　セントポール

本を一度も見直すことなく、20ページものメモが書けました

昨日、私は法律書をフォトリーディングしました。そして今朝、その内容をアクティベーションしました。その際、少しだけメモを取ろうと思ったら……　我ながら本当にびっくりしました！

レイ・シモンズ
ネバダ州　ラスベガス

「1ヶ月後の私」を報告します

フォトリーディングを学んでから1ヶ月がたちましたので、「1ヶ月後の私」を報告します。本日現在、フォトリーディングでの読書数82冊。普通に読んだ本を含めると全部で90冊。これが1ヶ月の成果です。これ以外に英語の簡単な辞書も2日に一回ぐらいフォトしています。マインドマップは53冊分。マインドマップを書いていない本のうち3分の1は専門書、3分の1はセミナー資料のためにワープロ起こしを考えているもの、残りは駄本でした。当然、読んだ内容は以前よりも遙かに理解力が高く、うれしい限りです。

岡本　吏郎
日本・新潟市　税理士

〈著者略歴〉
ポール・R・シーリィ
Paul R. Scheele, M.A.
米国ラーニング・ストラテジーズ社の共同設立者。フォトリーディング・ホール・マインド・システムの開発者。ミネソタ大学・理工学部にて学士号、およびセント・トーマス大学院・人文学科にて修士号を取得。
ビジネス界をはじめ各界から注目される神経言語プログラミングおよび加速学習分野における世界的な権威。その専門知識を「読書」という誰もが必要なスキルを通して、実務レベルで実践。その結果、短期間で、驚くほどスキルレベルが向上する研修プログラムを次々と開発。その実績に関しては、他者の追従を許さない。
講演歴多数。世界各国の企業や政府のコンサルタントも務める。

〈監訳者略歴〉
神田昌典
Masanori Kanda
上智大学外国学部英語学科卒。外務省経済局勤務。
外務省退職後、ニューヨーク大学院にて経済学修士（ＭＡ）、ペンシルバニア大学・ウォートンスクール経営学修士（ＭＢＡ）を取得。経営コンサルティング会社勤務を経て、米国家電メーカー日本代表に就任。「人なし」「予算なし」「商品なし」のゼロからの立ち上げとなるも、売上は３年間で年商８億円（ＯＥＭ販売を含めて13億円）まで成長。アジアにおける最優秀社員（ＭＶＰ）に選出される。
1998年、経営コンサルティングと経営者教育を提供する株式会社アルマックを設立。コンサルティング業務を行なうとともに、ダイレクト・マーケティングを実践する経営者組織「顧客獲得実践会」（後に「ダントツ企業実践会」）を主宰。発足後５年で4000社を超える中小企業が参加し、日本最大の規模となる（2003年休会）。
2005年現在、企業家教育、加速教育等の分野にて複数会社のオーナー。著書に『あなたの会社が90日で儲かる！』『非常識な成功法則』『お金と英語の非常識な関係　上・下巻』『仕事のヒント』（フォレスト出版）『60分間・企業ダントツ化プロジェクト』（ダイヤモンド社）『なぜ春はこない？』（実業之日本社）『成功者の告白』『人生の旋律』（講談社）等多数。

著者ポール・R・シーリィ著の特別レポートを、ホームページ(www.photoreading-japan.com)でご覧いただけます。
内容は……
1．フォトリーディング体験をより豊かなものに　（31ページ分）
2．フォトリーディング初心者のためのQ＆A　（18ページ分）

日本におけるフォトリーディング集中講座は、開発者ポール・R・シーリィによって認定を受けたインストラクターによって、ラーニング・ソリューションズ株式会社が開講しています。詳しくは、同社ホームページwww.photoreading-japan.comをご覧ください。

あなたもいままでの10倍速く本が読める
常識を覆す速読術「フォトリーディング」

2001年9月26日　初版発行
2008年7月17日　50刷発行

著　者　ポール・R・シーリィ
監訳者　神田　昌典
発行者　太田　宏
発行所　フォレスト出版株式会社
〒162-0824 東京都新宿区揚場町2－18　白宝ビル5F
電話　03-5229-5750
振替　00110-1-583004
URL　http://www.forestpub.co.jp

印刷・製本　中央精版印刷株式会社

ISBN978-4-89451-119-4　Printed in Japan

『あなたもいままでの10倍速く本が読める』
をお読みになった、あなたへのお知らせ。

より深く、より具体的な
ポール・R・シーリィの世界!

NATURAL BRILLIANCE
Overcome Any Challenge...at Will

「潜在能力」で
あらゆる問題が
解決できる

あなたの才能を目覚めさせる
「ナチュラル・ブリリアンス・モデル」4ステップ

ポール・R・シーリィ 著
今泉敦子 訳
(解説・神田昌典)

より素晴らしい人生を手にするための最先端の
能力開発ノウハウがこの1冊に!

定価:本体1400円+税 ISBN978-4-89451-152-1

フォレスト出版